¡Quiero quedarme embarazada ya!

Si desea recibir información gratuita
sobre nuestras publicaciones, puede
suscribirse en nuestra página web:

www.amateditorial.com

también, si lo prefiere, vía email:

info@amateditorial.com

Síganos en:

 @amateditorial

 Editorial Amat

Dra. Marisa López-Teijón

¡Quiero quedarme embarazada ya!

Guía imprescindible de fertilidad

Fotografías: Shutterstock

Diseño cubierta y dibujos: XicArt

Maquetación: Eximpre SL

ISBN: 978-84-9735-932-0

Depósito legal: B-20.557-2016

Primera edición: noviembre, 2016

Impreso por: Liberdúplex

Impreso en España – *Printed in Spain*

*Dedicado a todas las mujeres que luchan con todo su amor
por el sueño de tener un hijo y también a los profesionales
que lo hacen posible.*

*Quiero que este libro sea el abrazo de energía y cariño
que nos reconforte en cada uno
de nuestros momentos de desesperanza.*

Índice

¡Quiero quedarme
embarazada ya!

Has decidido que quieres quedarte embarazada, que este es el momento con el que llevas pensando tanto tiempo. Ahora sientes que tienes todo lo que creías necesario para ser madre. Tal vez tu deseo de tener un bebé sea tan grande que has decidido renunciar a alguna de las cosas que te parecían imprescindibles en tu vida. O quizá te has chalado por un hombre y sientas que él tiene que ser el padre de tus hijos.

La probabilidad de que te llegue este momento aumenta conforme vas cumpliendo años. La tendencia actual de las mujeres de las sociedades con un nivel socio-cultural y económico más avanzado es tener pocos hijos y retrasar la edad de convertirse en madre. Esta realidad la vemos cada día en nuestro entorno y las estadísticas nos la muestran.

Isabel es una de estas mujeres, deseosa de tener un hijo. Y está que no se lo cree: en el mismo mes la han ascendido a directora de sucursal de su banco y sus suegros le han dado el dinero suficiente para pagar lo que faltaba de la hipoteca del piso. ¡Qué afortunada! Ella es la mayor de tres hermanas. Desde niña soñaba con tener hijos; sin embargo, para ella ese sueño debía llegar después de finalizar sus estudios, encontrar un buen trabajo, pareja estable y un piso con tres habitaciones. Conseguirlo no ha sido nada fácil y cuando por fin se ha producido esta situación ha valorado cuidadosamente los desequilibrios que un bebé puede provocar en todo lo anterior. Me refiero a compatibilizar horario de mamá con horario laboral, los riesgos de perder proyección en el trabajo, de quedarse sin tiempo libre... Y siendo consciente de todos estos factores, ha decidido que merece la pena. Está convencida de que un hijo es más importante.

Es sábado y a **Marta** la han dejado plantada. Su novio le avisa de que no puede venir a comer con ella. Se sienta en el parque de al lado del restaurante hecha polvo, pensando: «¿Qué voy a hacer ahora?». Está inmersa en sus pensamientos cuando una chica se le acerca: «¿Te importaría ayudarme?», le pregunta poniéndole sin esperar su respuesta un bebé en los brazos mientras saca a otro de la silla. Marta lo sostiene -no podía hacer otra cosa-, le sonríe y siente algo que no sabe describir. Le embargan unas ganas irrefrenables de abrazarlo, pero no se atreve. Además, no recuerda haber tenido antes en brazos a ningún bebé.

Marta siempre se imaginó su futuro con hijos, pero lo veía algo muy lejano a pesar de tener 37 años. En ese mismo momento, siente que la llamada ha llegado: desea de verdad un bebé aunque no está segura de que su novio también lo quiera. Y aunque tan solo unos meses atrás esto le hubiera parecido imposible, ahora está dispuesta a renunciar a su pareja y decidida a tenerlo sola, si es necesario.

A ginecólogos y pediatras nos sorprende que casi todas las parejas lleguen al parto sin haber cambiado un pañal ni saber qué es el cordón umbilical. Nos preguntamos: «Pero, ¿nunca han cuidado ni un ratito a un bebé? ¿No han tenido curiosidad por su propio ombligo? ¿En qué pensaban durante estos nueve meses?».

Además, con frecuencia, son parejas que saben muchísimo de todo: se preparan concienzudamente para cualquier tarea, se informan de la película que van a ver antes de ir al cine, se estudian las guías turísticas antes de realizar un viaje... No obstante, no tienen ni idea de muchos detalles relacionados con ese pequeño que va a cambiarles la vida mucho más que un libro o unas vacaciones.

Esta situación tiene una explicación lógica. Históricamente, saber cuidar a un niño era algo que a la mujer se le suponía implícito en su esencia. Hasta hace poco tiempo, la mujer se encargaba de sus hermanos pequeños hasta que se casaba y un año después empezaba ella su propio ciclo de partos.

Y de repente, sin generación intermedia, nos damos cuenta que el instinto de saber cuidar a un hijo no ha quedado impregnado en los genes de las hembras de nuestra especie y que todas aquellas habilidades que se suponían que eran innatas e instintivas, alguien va a tener que enseñárnoslas.

En esta sociedad de la información, de los masters y cursos online, con la generación de jóvenes más formada de la historia, en la que todo se estudia y todo se examina, se da por hecho que sin prepararnos, los padres seamos expertos en puericultura, que sepamos cómo hay que alimentar a ese recién nacido o cómo conseguir que deje de llorar desconsoladamente.

El momento más intenso, el instante de mayor plenitud, temor e ilusión, es el día en que se recibe el alta en el hospital tras el primer parto. De repente, los padres se dan cuenta que no saben cómo cuidar al bebé y no se atreven a irse. Piden que se les informe de todo eso ¡inmediatamente! Bueno, si lo filmáramos, sería digno de una comedia.

¿Cuántos bebés has cuidado tú?

Como apuntábamos, hoy en día, cuando nace el primer hijo es muy frecuente no haber cuidado antes a ningún bebé. Ya casi nadie ha tenido un hermano mucho más pequeño. Sus sobrinos, si los hay, viven lejos. No hay tiempo para tener una relación intensa con los bebés de los amigos y, en general, la sociedad de la prisa en la que vivimos nos ha hecho perder la pasión por los niños pequeños.

Pocas veces nos paramos para ver lo precioso que es el bebé que lleva una chica que tenemos al lado. En las tiendas, los miran mal por si tocan algo diciendo: «!Cuidado! no se vaya a hacer daño». Hay hoteles que no admiten niños (igual que no dejan alojarse con perros), incluso ahora hay una compañía aérea que va a promocionar vuelos sin niños...

Así que la llegada a casa con el primer hijo es un momento realmente difícil porque los bebés no traen manual de instrucciones.

Os hablo ahora de **Rocío**, que acaba de salir del colectivo de los ni-nis (ni estudian ni trabajan) porque ya ha conseguido su primer empleo: es monitora en un gimnasio de Barcelona. El sueldo no le llega para dejar la casa de sus padres, pero sí para cumplir sus deseos de ideal de belleza y de look. Luce un tipo increíble, es guapa y lleva todos los complementos que su bloguera favorita manda para esa temporada. En el bar del gimnasio ha conocido a un famoso futbolista del Barça y han tenido tres citas. Hoy ha quedado con él de nuevo y está asustada porque ha decidido dejar la píldora anticonceptiva y que sea lo que Dios quiera... Se ha vuelto loca por él y quiere todo, todo, todo de ese hombre. Nunca antes se había planteado ni siquiera si iba a querer tener hijos, ni siquiera le gustan los niños. Cuando le dijo a Lourdes, su mejor amiga, lo que estaba haciendo, esta le recriminó que no entendía que quisiera quedarse embarazada: «Parece que estás buscando solo el dinero y la posición social de ese chico», le dijo. Y así eran las apariencias. Pero Rocío está enamorada de verdad, con todo lo que significa esta palabra.

¿Qué requisitos pedimos cada una de nosotras a un hombre para que pueda ser un candidato a enamorarnos y a convertirse en el padre de nuestros hijos? ¿Podría ser un hombre mucho más joven que tú, mucho más inculto o de otra raza?

Es algo absolutamente personal basado en nuestros principios, educación, en motivaciones que incluso nosotras desconocemos y en nuestra historia antropológica. En muchas mujeres, cuando conocen al hombre que les da seguridad para criar su camada, se despierta ese instinto femenino. Por el contrario, los hombres, cuando se enamoran, suelen sentir el instinto de tener sexo con ellas, pero no de criar hijos... Son millones de años de esparcir espermatozoides; sin embargo, la crianza no era cosa suya.

Me encanta el libro de Jaime Huete *Construye tu sueño*, os lo recomiendo porque describe las razones que nos mueven. Cada persona tiene un porcentaje diferente de cada motivación y ninguna es buena o mala, eso depende de cómo se gestione. Clásicamente se piensa que el motor del mundo es el dinero, el sexo y el poder. Sin embargo, el escritor asegura que no es así y que estas son las armas que utilizamos para conseguir lo que realmente queremos.

¿Qué te mueve a ti? ¿Hasta dónde estarías dispuesta a llegar para lograr aquello que más deseas? Veremos lo que hacen nuestras protagonistas.

Todas quieren quedarse embarazadas el primer mes

(Buscando el positivo... del deseo a la realidad)

El perfil actual más frecuente de mujer que quiere quedarse embarazada es este: con 30-35 años, muchísima ilusión, una pastilla diaria de ácido fólico y un calendario, abandona la anticoncepción esperando quedarse embarazada ese mismo mes. Pero un año después solamente lo habrán conseguido la mitad de las mujeres y una de cada cinco solo lo logrará con ayuda médica.

¿Cuánto vas a tardar en quedarte embarazada?

El índice de fertilidad mensual en chicas jóvenes con coitos regulares es del 20% por ciclo, mientras que en mujeres de 40 años es del 5% por ciclo. Las posibilidades de embarazo dependen:

- de la edad de la mujer,
- de la calidad del semen
- y del grado de fertilidad de cada uno de ellos.

Mi experiencia en la consulta con jóvenes donantes de ovocitos y de semen me ha hecho ver que **el grado de fertilidad es una**

característica personal innata y que existen todos los grados. Así, cuando se juntan dos personas muy fértiles, lo más probable es que se produzca el embarazo en los primeros meses, mientras que, cuando se unen una mujer y un hombre de baja fertilidad, aun estando totalmente sanos y sin sufrir problemas que lo impidan, van a tardar mucho más.

Vemos chicas de 25 años que apenas responden a la medicación para donar ovocitos y tenemos que descartarlas, otras que desarrollan muchos ovocitos, pero que solo una pequeña proporción de ellos son maduros; otras cuyos ovocitos no se dejan fecundar fácilmente o que los embriones a los que dan lugar no poseen gran capacidad de evolucionar. Por el contrario, vienen otras que «embarazan todo».

A los 35 años los ovarios han envejecido

A los 35 años quedan el 10% de los óvulos y cuanto menos reserva ovárica tenemos, peor es la calidad de nuestros óvulos. En general, popularmente, se considera la menstruación como una prueba de la capacidad de tener hijos, pero esto no es así.

La mujer nace con una dotación ya establecida de ovocitos que progresivamente van desapareciendo por un fenómeno que se llama «atresia», de forma que al llegar a la pubertad quedan aproximadamente unos 300.000 óvulos en los ovarios. En cada ciclo menstrual se desarrollan unos 1000 ovocitos, pero solo uno llega hasta la ovulación. Los demás se perderán. Los ovocitos son las únicas células de la mujer que cuentan con 23 cromosomas, o sea, la mitad que el resto de las células. El proceso de reducirlos a la mitad se llama «meiosis» y se completa en las horas siguientes a la ovulación.

Meiosis de ovocitos

Cada persona tiene 23 pares de cromosomas en todas sus células (46 cromosomas en total), entre ellos un par determina el sexo: XX para las mujeres y XY para los hombres.

Los 46 cromosomas se colocan frente a frente para separarse soltándose los filamentos que los unen hasta quedar 23. Al aumentar la edad de la mujer, se producen alteraciones en este proceso. En mujeres jóvenes las varillas son resistentes y los cromosomas se separan eficazmente, mientras que con el paso de los años estas se vuelven más débiles, como ocurre en los filamentos de una bombilla, y pueden romperse.

Así, pueden quedarse cromosomas extra (si es el 21 dará lugar a un Síndrome de Down) o de menos, provocando fallos en la fecundación o dando lugar a embriones con alteraciones cromosómicas que en su mayoría acabarán en abortos precoces.

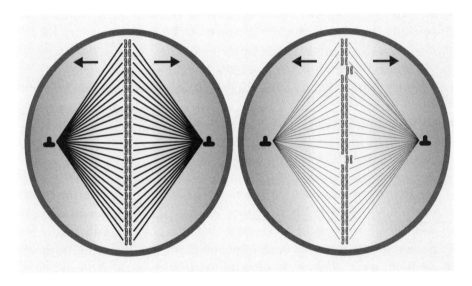

Meiosis de ovocitos

Es frecuente que una mujer de 38-40 años con reglas normales ya haya agotado la reserva de óvulos capaces de dar lugar a un niño sano: le llamamos «fallo ovárico oculto». A partir de los 37 años el riesgo de presentar anomalías cromosómicas aumenta de forma significativa y, a partir de los 40 años, si la mujer necesita técnicas de reproducción asistida, las posibilidades de éxito utilizando sus propios ovocitos son bajas.

Isabel tiene 40 años y Javier 42. Ella tiene ciclos regulares, lo confirma la agenda de su móvil en la que apunta rigurosamente cada mes el día que le viene la regla. Se ha hecho revisiones ginecológicas cada año y todo parece normal. Tienen relaciones sexuales cuando no están agotados de trabajar, o sea, los jueves y los sábados. Por todo lo que ya sabéis, le calculamos que cada mes tiene un 5% de probabilidades de quedarse embarazada. Y al cabo de un año, de algo menos del 40%.

Marta quiere quedarse embarazada, pero, de momento, su pareja no lo sabe. Así que sus posibilidades de embarazo son inciertas. Eduardo, de 56 años, es el jefe de Marta, tiene dos hijos de su matrimonio anterior y ningunas ganas de volver a ser padre. Ella está pensando cómo va a decirle que quiere un hijo. No lo tiene fácil. En conversaciones anteriores él ya lo dejó claro y, si finalmente acepta, seguramente será para no perderla. Marta tiene mucho miedo; sin embargo, ha tomado una decisión.

Rocío solo ha ido una vez al ginecólogo y fue para que le diera la píldora anticonceptiva. Tanto ella como su pareja son muy jóvenes. Ella se ha ido a vivir con él y han empezado a tener relaciones todos los días que él no está jugando fuera de Barcelona. A priori sus posibilidades de embarazo son altas, aunque varían en función de la calidad del semen. Más adelante sabréis que este factor está estrechamente relacionado con el lugar donde él se haya criado. Dado que todas ellas son historias reales no voy a decir el nombre de nuestro protagonista, con lo que no podréis saber de momento de dónde es.

La importancia de la edad en la que se tienen los hijos es bien conocida en las mujeres y poco en los hombres, no obstante, ellos también tienen su reloj biológico.

La edad del padre puede tener repercusiones a nivel de la fertilidad

El envejecimiento del aparato reproductor masculino puede manifestarse en tres aspectos:

- En el **seminograma** se produce una reducción progresiva del volumen del eyaculado. Se debe a la atrofia de las vesículas seminales, que son las que producen el líquido que vehicula los espermatozoides producidos en el testículo.
- El paso del tiempo puede inducir **oxidación de los espermatozoides** y reducir así la capacidad fecundante del semen. Una cadena de ADN es como esos adornos para el árbol de Navidad que son paquetitos de regalo unidos por un cordón. Para meterlos en el núcleo del espermatozoide se enrollan. Esto se llama «fenómeno de empaquetamiento».

  Al llegar al interior del ovocito se abren para unir sus 23 paquetitos con los del óvulo. Pues bien, imagina que tú has guardado a lo bruto estos adornos y al sacarlos en la siguiente Navidad el cordón se ha roto en varios puntos. Esto pasa en algunos varones por fenómenos de oxidación: se rompen estas cuerdas y en el interior del ovocito están todos los cromosomas, pero sueltos y no se encuentran con su homólogo de la mujer. Es un problema parecido a la ruptura de los filamentos del ovocito que comentamos antes.

  Estudiamos el grado de fragmentación del ADN de un varón en una muestra de semen. Aunque este sea alto casi siempre se soluciona con pastillas antioxidantes. ¡Ayudamos al testículo a que sea más cuidadoso empaquetando!

Además, el daño en el material genético contenido en los espermatozoides se incrementa con la edad, ya que el tiempo hace que haya más posibilidades de que se produzcan mutaciones en nuestras células que pueden ser causa de enfermedades en los hijos. **Así, el riesgo de mutaciones espontáneas de un gen llega a ser 5 veces mayor en un padre de 45 años que en uno de 20.** Se calcula que el 10% de los Síndromes de Down y hasta el 40% de los Síndromes de Klinefelter están relacionados con la edad del padre, me refiero a edad superior a 55 años. Lo mismo ocurre con enfermedades como el enanismo acondroplásico y otras patologías como la esquizofrenia y el autismo. La maternidad y paternidad tardías aumentan el riesgo de tener un hijo con espectro autista: cada 5 años que cumplen los progenitores se incrementan un 18% las probabilidades.

Aun así, el varón produce espermatozoides toda la vida y conserva su fertilidad. Con frecuencia amigas mías dicen: «Mira ese actor de 77 años que va a tener un hijo con una chica de 40 años... ¡Será de banco de semen!». A mí me consta que es al revés, que es con su semen y ovocitos de donante.

La edad biológica más adecuada para tener hijos es de los 20 a los 30 años y hoy en día los estamos teniendo de los 30 a los 40 y pico años. ¿Deberíamos plantearnos la maternidad siendo más jóvenes? ¿O, por el contrario, que las consecuencias médicas derivadas de tener los hijos más tarde son hechos que debemos aceptar?

Como especialista en reproducción os digo que la media de edad de las pacientes que atendemos por primera vez es de 37 años. Algunas llegan preocupadas por su edad porque no han podido buscar el embarazo antes. O porque llevan varios tratamientos sin éxito y el tiempo va pasando. Otras se sienten unas niñas, no entienden que están muy jóvenes de todo, pero quizás ya no de los ovarios. Incluso comentaros que es frecuente que con 40 años consulten sobre la vitrificación de óvulos diciendo que es porque están empezando a plantearse la maternidad...

Lo cierto es que se ha alargado la calidad y la esperanza de vida y esto permite socialmente tener los hijos mucho más tarde. Médicamente puede suponer tener que recurrir a la donación de ovocitos o incluso verse obligada a renunciar al embarazo por los riesgos que supone: a partir de los 50 años ya no hacemos tratamientos.

Mi opinión personal es que ya no hay vuelta atrás en la independencia cultural, económica y emocional de la mujer. Que el discurso de que debemos tener los hijos a los 20-30 años está anticuado por irreal y paternalista. Afortunadamente, hoy día la medicina nos permite ayudaros a conseguir vuestro objetivo.

Vitrificación de ovocitos.
Una alternativa para retrasar la fertilidad

Cuando se realiza correctamente, la vitrificación (congelación ul-tra-rápida) de ovocitos es un avance increíble. Me refiero a que debe llevarse a cabo en el momento adecuado, es decir, mientras los ovocitos sean de buena calidad y en un laboratorio de plena confianza para que estemos seguros de que se efectúa con el mé-todo adecuado. Óvulos y ovocitos es lo mismo.

El objetivo es guardar unos óvulos para tener la posibilidad de retrasar la maternidad sin verse obligados a recurrir a ovocitos de donante. Es importante aclarar que se trata de una posibilidad y que no confiere una seguridad completa, ya que entran en juego muchos más factores, como la calidad del semen con que se fe-cunden estos óvulos así como de nuestra capacidad de implanta-ción de los embriones...

Por eso no sabemos exactamente el número de ovocitos que tenemos que conseguir. **En general aconsejamos tener guardados unos 10-12 ovocitos, que es como tener vitrifica-dos los óvulos de un año.** En una mujer sana de menos de 35 años, las posibilidades de embarazo mensuales con un semen normal son aproximadamente del 20% y en una mujer de 40 años, del 5%.

Lo ideal es vitrificar los óvulos entre los 30 y los 36 años por-que no es lo mismo tener guardados tus 35 años que tus 40 años. En cualquier caso, la edad ovárica no siempre se corresponde con la edad biológica. Lo más frecuente es que esta varíe en unos tres años. Se puede determinar estudiando la hormona antimulleria-na en sangre y decidir en función del resultado del análisis. En la consulta, muchas mujeres que se interesan por la vitrificación lo hacen tarde y, por ética, se lo desaconsejamos. No queremos que tengan una falsa tranquilidad.

La mayoría de los casos en los que vitrificamos ovocitos en nuestro centro corresponden a un perfil muy similar: chicas de 35 a 38 años, con un nivel socioeconómico y cultural alto, que quie-ren tener hijos, pero no tienen pareja. Esperan formar una fami-lia y quedarse embarazadas de forma natural, pero quieren tener ovocitos congelados por si su fertilidad empeora. Un ciclo de vitrificación de ovocitos cuesta unos 3.000 euros y el mantenimiento hasta que se utilicen es de unos 400 euros/año.

Me gustaría compartir con vosotros algunas reflexiones a propósito de las medidas que Apple y Facebook han decidido tomar sobre pagar los costes del proceso de congelación de óvulos a aquellas empleadas que opten por retrasar su maternidad para priorizar su carrera profesional. Aunque la iniciativa de estas empresas pueda ser una buena noticia para las trabajadoras de estas dos compañías que pensaban vitrificar sus óvulos, a mí me parece que puede verse como una forma de rechazo a la maternidad. Expongo los siguientes argumentos:

1. En una empresa así, ¿quién se atreverá a decir que no quiere retrasar la maternidad y que está embarazada?
2. Al parecer, las empresas lo ofrecen dentro de un paquete de incentivos especiales para atraer a personas con mucho talento. Parece que dejan claro que quieren mujeres listas, pero que difieran su maternidad. Quieren gente joven. Cuando pasen unos años y vayan a tener hijos, ya decidirá la empresa si todavía les interesan o si deciden despedirlas y que tengan los hijos en otra compañía.
3. Como os decía, la vitrificación de óvulos suele hacerse por razones personales, no laborales. A los 30 años, en general, se ha completado el proceso de formación profesional. A partir de esta edad, cuando ya se está trabajando, puede haber situaciones como la de una mujer con un proyecto profesional especial o destinada un año a otro país, pero casi siempre son situaciones temporales que obligan a retrasar el embarazo uno o dos años, pero no a vitrificar los ovocitos.

Casi a la vez que esta noticia, se publicó un estudio que concluye que las mujeres son más productivas a lo largo de su carrera profesional si tienen hijos. Rinden más que las que no tienen hijos y despuntan respecto a los hombres. ¿Qué opinas tú? ¿Qué te parece que Apple y Facebook ayuden económicamente a sus empleadas a vitrificar óvulos? Yo he oído muchas respuestas distintas y casi todas muy bien razonadas.

3

¿Qué puedes hacer tú?

Mitos y realidades
sobre lo que facilita el embarazo

1. Está claro que para quedarte embarazada debes tener **relaciones sexuales en tus días fértiles.** Si los ciclos menstruales son regulares, es decir, si tienes la regla cada mes, es seguro que ovulas. Las chicas que no ovulan se quedan sin la menstruación o la tienen cada varios meses y presentan ciclos irregulares.

    Para saber qué día ovulas es suficiente con fijarte en la duración habitual de tus ciclos. Sabemos que desde la ovulación hasta la regla siguiente pasan 14 días. Así, si tus ciclos son de 28 días, lo más probable es que ovules el día 14º del ciclo. Si son de 27 días, pues el 13º. No es siempre exacto, pero no necesitas tests de ovulación. Es más práctico tener relaciones entre tres días antes y el día que ovulas. Sabemos que los espermatozoides pueden esperar con vitalidad al ovocito tres días en las trompas y que el ovocito puede fecundarse durante 24 horas, un día después de la ovulación degenera. Lo ideal es orientar las relaciones sexuales a esos días, pero no hace falta tenerlas todos esos días. Aunque tengas una misión... ¡Mantengamos un poco de romanticismo!

    Los espermatozoides se desplazan desde la vagina hasta la trompa a una velocidad de 2-3 mm/minuto. Así, desde que se produce la eyaculación hasta que llega al ovocito pasan unos 45-60 minutos. ¡Pocas horas después de una relación sexual ya puedes estar embarazada!

2. **Debes tomar** ácido fólico. El desarrollo del tubo neural del embrión se inicia muy precozmente, antes de que muchas mujeres sepan que están embarazadas. El ácido fólico ayuda a prevenir alteraciones graves de la médula espinal (como espina bífida) y del cerebro (anencefalia) y también otros defectos como el labio leporino. Durante el embarazo aumentan las necesidades de ácido fólico, por eso debes empezar a tomarlo desde un mes antes y mantenerlo durante el embarazo. De esta forma se reduce un 70% el riesgo de estas alteraciones.

Las principales fuentes alimenticias de folatos son las verduras y hortalizas. Pero son muy sensibles a todos los procesos culinarios y la mayoría de su contenido se queda en el agua de cocción, en el vapor o en el aceite. Tampoco sería un solución tomarlas crudas porque hay diferencias individuales en el grado de absorción del fólico de la dieta y además se absorbe mejor el farmacológico que el de los alimentos.

3. Es el momento de hacerte una revisión ginecológica en la que debes preguntar cuál es tu **reserva ovárica**.

La edad ovárica no es la del carnet de identidad. Cuando hablábamos de las probabilidades de quedarte embarazada en cada ciclo, los médicos nos referimos a la edad ovárica. Puede ser unos años menos o más que tu edad cronológica y es importante que lo sepas. A día de hoy, el mejor indicador es el nivel en sangre de la **hormona antimulleriana**. También es un buen indicador el recuento de **folículos antrales basales en la ecografía**, se cuenta el número de imágenes econegativas (negras) que hay en tus ovarios. Como ya sabes, nacemos con una dotación de ovocitos ya predeterminada y desde la pubertad se van perdiendo óvulos cada mes. Aunque tomes anticonceptivos, incluso durante el embarazo, el proceso no para.

Hay mujeres que nacen con una dotación menor de ovocitos o que pierden más de los habituales cada ciclo. Esto forma parte de la fertilidad innata de cada chica. En parte es herencia genética, pero también creo que influye el nivel de tóxicos acumulados en la madre. En las sociedades avanzadas, la mujer quiere tener los hijos más tarde y, sin embargo, el entorno tóxico de la industrialización va en contra, ya que puede provocar que se formen menos células precursoras de los ovocitos. Estas células se llaman «oogonias».

4. Es importante que **no descuides tu relación de pareja** y seguir con los mismos hábitos sexuales. Es muy posible que ya estés orientando las relaciones exclusivamente hacia tu objetivo: que lleguen espermatozoides a tu preciado ovocito del mes. Y que los días que consideras no fértiles tu líbido disminuya o incluso desaparezca. Hoy día sabemos que no es necesaria la abstinencia de unos días para mejorar la calidad del semen: puede optimizar la cantidad de espermatozoides del eyaculado, pero empeora otros parámetros como la fragmentación del DNA. Lo ideal es mantener la misma frecuencia de siempre asegurándote tener relaciones sexuales en los días cercanos a la ovulación.

Aunque no te lo parezca, seguramente tu pareja ya lo ha notado y no le gusta nada. Ellos sienten que unos días lo rechazas y otros lo buscas y nunca saben cómo vas a reaccionar. Creen que están pasando del sexo como placer al sexo como tarea. Ya sé que tú tienes un objetivo... Pero seguramente puedes compaginarlo con tu capacidad de seducción y conseguir que sea él quien te persiga esos días, de forma que parezca que el pico ovulatorio lo tenga él.

Cada vez que te viene la regla es un drama y encima la caída hormonal asociada a ella te hace estar más sensible. Creo que es bueno permitirte un mini-disgusto y rápidamente volver a mirar tu plan de acción. Con la información que ya tienes puedes decidir el tiempo que te parece razonable esperar hasta pensar en que pueda haber alguna causa que impida el embarazo. La espera debe ser como máximo de un año. Mientras tanto disfruta de tu misión, seguramente tienes otras menos apasionantes.

Qué no es necesario que hagas. Falsos mitos

¡Bingo! A **Rocío** no le ha venido la regla. Dejó los anticonceptivos el mes pasado y tiene un retraso de tres días. Siente una mezcla de todo tipo de emociones: por una parte era lo que quería, pero ha ido todo tan rápido que no «ha encontrado el momento» para decirle a su pareja que ya no toma las pastillas. ¿Cómo reaccionará? Lo cierto es que él tampoco le había preguntado nada al respecto... Y si no quisiera tener un hijo se habría puesto preservativo. Ella quiere un embarazo, pero ahora piensa que esto va a acabar en un hijo y, a sus 25 años, no se imagina lo de dar el pecho, ir al parque con un cochecito... ¡Ay, qué miedo!

Sale directa a la farmacia y se hace un test de embarazo que sale negativo. Lo repite tras cinco días de «sin vivir» y... otra vez negativo. Tres días después le viene la menstruación. Su amiga Patricia le había dicho que cuando se lleva **mucho tiempo tomando píldoras anticonceptivas** hay que esperar unos meses para quedarse embarazada. Pero esto no es cierto, puedes buscar el embarazo desde el momento en que las dejas. Supongo que esta falsa creencia viene dada porque cuando se llevan muchos ciclos sin ovular es frecuente que la primera ovulación se retrase. Es simplemente esto lo que le ha pasado a Rocío.

En la consulta oímos continuamente algunas falsas creencias que me gustaría comentaros. Muchas personas creen que **cada mes se ovula por un ovario** y eso no es así, pero hasta lo he visto escrito en libros de texto de colegios. El óvulo es una célula que está dentro del folículo y ambos tienen que desarrollarse. Los folículos pasan por las siguientes fases: primordial, primario, secundario y terciario. Es en esta cuarta fase cuando están maduros. En el interior del ovario descansan los folículos primordiales y tres meses antes del ciclo en el que se ovulará empiezan a crecer muchos. Decenas de folículos primordiales pasan a ser folículos primarios, es lo que se llama «proceso de reclutamiento». Pero, poco a poco, se van quedando atrás, se atrofian. Así, pocos van a llegar a folículos secundarios y solo uno a terciario (mide 20-30 mm). Si los finalistas son dos en ese ciclo se pueden tener gemelos. El folículo dominante produce unas sustancias que inhiben el desarrollo de los demás.

Esto ocurre en todo el tejido ovárico, no importa que estén en el ovario derecho o izquierdo. Cuando una mujer solo tiene un ovario ovula siempre por ese ovario. Si tiene los dos entonces el proceso es aleatorio, puede ovular varios meses seguidos por el mismo.

Los **óvulos no fecundados** son células microscópicas que son eliminadas por un tipo de glóbulos blancos llamados «macrófagos» y que forman parte de nuestro sistema de limpieza celular. ¡No se expulsan con la regla! Lo cierto es que son recogidos por estos linfocitos y llevados a la sangre.

No tiene relación la **edad en la que vino la primera regla** con la edad de la menopausia. Es muy típico oír: «Me vino la primera regla muy pronto, así que tendré tarde la menopausia». Pues no.

Marta, antes de decirle a Eduardo que quiere quedarse embarazada, empieza a prepararse y se informa en internet sobre «los mejores consejos para conseguirlo en muy poco tiempo». Supone que si él acepta, ella debería quedarse rápidamente: teme que si se alarga o necesita algún tratamiento él se arrepienta. Así empieza su lista de propósitos de vida sana: comer ensaladas, verduras y frutas, bajar 3 kg de peso, ir al gimnasio, dejar la cerveza y el gintonic, no acercarse a fumadores... ¡Ah, y además no tiene que estar estresada ni con ansiedad! También se propone ir practicando nuevas posturas en la cama y quedarse después con las piernas dobladas para que no se salga el semen. Desde luego, todo esto puede ser muy saludable, pero os aseguro que no va a cambiar lo más mínimo sus posibilidades de embarazo.

Isabel no necesita internet para saber que tiene que tomar ácido fólico. De hecho ella lo ha empezado ya tres meses antes, por si acaso. También ha instruido a Javier: debe dejar inmediatamente el tabaco, el alcohol y por su santo le ha regalado calzoncillos bóxer para que vaya dejando esos slips que le aprietan los testículos.

Aprovecho este momento para contaros algunas de las conclusiones de los estudios de calidad de semen que he tenido el honor (y un trabajo de locos) de dirigir. El objetivo era analizar las características del semen de los varones españoles y comparar los resultados con los de otros países y otras provincias e intentar establecer la implicación medio ambiental y de hábitos de vida.

Se manejaron 105.525 datos de interés tanto médico como sociológico y las conclusiones dejaron totalmente en entredicho la influencia de los hábitos de vida tradicionalmente asociados a la esterilidad y demostraron que **la calidad del semen viene dada principalmente por la contaminación medioambiental de la zona en que ha crecido ese varón**.

El consumo moderado de **alcohol** no afecta a la calidad del semen, pero en los varones que toman más de 3 copas de licores al día se reduce la concentración y la movilidad de los espermatozoides. Esta cantidad se considera alcoholismo.

Los **fumadores** no presentan peor semen que los no fumadores. Los parámetros seminales tampoco variaron en función del número de cigarrillos consumidos por día. No obstante, al margen de estos resultados hay que destacar que existen múltiples trabajos científicos que demuestran que algunas sustancias que contiene el tabaco (como el benzopireno, la cotidina y los pesticidas con los que se fumigan las hojas de las plantas) reducen la fertilidad. Pueden afectar a las funciones de la membrana del espermatozoide y alterar la penetración en el ovocito. Otros estudios aprecian que el tabaco provoca estrés oxidativo dañando el DNA (código genético) del espermatozoide.

El consumo de **drogas** no comporta *aparentemente* peor calidad de semen. Los varones que consumen habitualmente drogas presentaron mejores parámetros de seminograma. Es sorprendente, pero puede explicarse porque estas sustancias inducen una activación de la función espermática y de los espermatozoides, aunque en última instancia, en su camino hacia el óvulo, agotan su energía y, por tanto, su capacidad de fecundación disminuye.

Los varones que padecen **estrés** presentan una disminución de la concentración de espermatozoides. No se ve afectado ningún otro parámetro seminal ni existe variación según el grado de estrés. Los que viven estresados tienen la misma frecuencia de eyaculaciones que los que se sienten tranquilos. De momento, a nivel médico no se ha descubierto el mecanismo de acción por el cual el estrés puede causar esto.

Los varones que buscan un embarazo eyaculan menos. El sentimiento de «tarea» bloquea el deseo masculino y la mujer orienta las relaciones sexuales casi exclusivamente a los días fértiles.

La frecuencia disminuye a medida que aumenta el deseo de embarazo:

* Varones que no buscan embarazo: 3,2 eyaculaciones/semana.
* Varones que buscan embarazo desde hace 1 año: 2,6 eyaculaciones/semana.
* Varones que buscan embarazo desde hace 2 años: 1,2 eyaculaciones/semana.

La calidad del semen aumenta con las eyaculaciones

La calidad del semen es significativamente mejor en varones con mayor número de eyaculaciones y aumenta en proporción directa a una mayor frecuencia. Es un buen estímulo para la formación de espermatozoides en los testículos. Parece lógico, la función entrena al órgano, pasa igual con los músculos.

Los **traumatismos testiculares** no tienen repercusión sobre la fertilidad de los varones afectados. Y llevar el teléfono móvil en los pantalones tampoco.

Se calcula que solo la mitad de las mujeres que no se quedan embarazadas buscan ayuda y que solo el 22% llegan a recibir tratamiento médico.

Las principales razones son económicas, morales o religiosas, que les inducen a aceptar la situación o a rechazar los tratamientos, falta de información o información inadecuada, no encontrar apoyo en su entorno familiar o simplemente preferir ocultarlo.

Cuando buscan ayuda con frecuencia es solo para **tratamientos alternativos para aumentar la fertilidad,** me refiero a homeopatía, hierbas medicinales, acupuntura, recolocación del útero, baños de lodo, etc. Todo esto puede ayudar a reducir la ansiedad, pero no hay ninguna base científica ni estadísticas que confirmen su efectividad.

Además, pueden retrasar la edad en que se accede al tratamiento médico y esto puede tener consecuencias.

Como hemos comentado, el grado de fertilidad es una característica de cada persona y por tanto las posibilidades de embarazo van a depender de la fertilidad de ambos. Hay parejas cuyo índice de éxito es bajo (por ejemplo porque solo una pequeña
proporción de sus embriones son buenos) y cualquier cosa que
hayan hecho los meses previos al embarazo pueden creer que ha
sido la solución. Creo que esto es lo que ocurre también cuando
se produce una gestación tras adoptar a un niño.

4

El *deseo de tener un hijo* y los nuevos modelos de familia

El deseo de tener un hijo y llegar hasta límites insospechados para conseguirlo es algo que no ha cambiado a lo largo de la historia de la humanidad. Lo que sí han variado son las motivaciones, así como la forma de lograrlo. Los especialistas en reproducción nos estamos encontrando nuevos perfiles de pacientes que reflejan los cambios de nuestra sociedad, un nuevo horizonte social caracterizado por:

La mujer creciente, el hombre menguante

«El hombre añora a una mujer que ya no existe, la mujer busca un hombre que todavía no ha llegado». En este sentido dice el psicólogo Javier Urra que «Don Juan» se jubiló hace tiempo. La identidad del hombre se sostenía en el poder y en el mundo del trabajo, pero con la incorporación de la mujer los roles se han desdibujado y el varón está pendiente de reubicación. Los valores masculinos se han devaluado y tienen que redefinirse. Al hombre le espera una revolución como la encabezada por la mujer. Hemos pasado del retrosexual al tecnosexual, al metrosexual y al úbersexual (viril y refinado)... Y ahora se habla de un nuevo tipo, el emocional-sexual.

El caso es que él se siente descolocado. Y mientras, la mujer soporta la carga de la doble tarea. Casi todas encuentran más ayuda en la madre que en su propia pareja. Menos de la mitad afirma que en su casa uno y otro comparten las tareas domésticas. Sienten que eso que nos vendieron, la llamada «liberación de la mujer», ha sido un mal negocio. Como dice el escritor Vicente Verdú, «ahora le toca el turno a un modelo de pareja donde la mujer suele tener la razón y el hombre, la culpa».

En consecuencia, la mujer cree que ya no necesita a un hombre a su lado para tener una vida plena y se plantea la maternidad en solitario. Se sustituye el amor al hombre por el amor al hijo. Además, socialmente hoy en día está muy aceptado: el 92% de las mujeres no censuran a las que tienen descendencia sin pareja estable. Y los hombres tampoco.

Mi padre era un clásico hombre de su tiempo. Somos tres hermanas y en una ocasión, siendo muy pequeñas, ellas dijeron que se iban a casar con un ingeniero. Mi padre les sonrió. Yo desde siempre quise ser médico, pero en ese momento afirmé: «Pues yo seré ingeniero». Él me miró y me contestó: «Una mujer sin hombre no es nadie». Recuerdo mi disgusto, especialmente porque creía que solo había dos ingenieros y ya se los habían quedado mis hermanas. Bueno, pues a los 80 años mi padre me pidió que ayudara a tener hijos a una amiga suya. Era una abogada muy competente de Ponferrada de 42 años. Me sorprendí ante su evolución mental: me explicó que su amiga no quería un marido, que deseaba un hijo y que creía que era mejor no engañar a nadie para quedarse embarazada.

En las consultas lo estamos viendo: atendemos a un número creciente de solteras que piden tratamiento con banco de semen porque no encuentran el hombre ideal con quien ser madres. En cuatro años el número de solteras que accede a Técnicas de reproducción asistida (TRA) se ha multiplicado por cuatro. Algunas han venido a visitarse con su novio, pero este se ha quedado fuera esperando porque quiere permanecer totalmente al margen... Son *novios satélite* que serán *padres satélite* y que renuncian a la paternidad antes de estrenarla...

También acuden a nosotros mujeres lesbianas que tienen un hijo con su pareja femenina. Ellas mismas deciden quién lleva el embarazo (madre gestacional) y quién pone los ovocitos (madre biológica), pero el hijo es de ambas.

Por otro lado atendemos a mujeres que quieren vitrificar sus óvulos porque no han encontrado, de momento, al hombre ideal ni saben si lo encontrarán. En todo caso, no quieren agobiarse cada cumpleaños pensando en que sus óvulos envejecen.

El ya conocido retraso de la maternidad

En los países avanzados, la tendencia de la mujer es a tener pocos hijos y a retrasar cada vez más la edad de tenerlos. Sin embargo, el deseo de tener hijos de las mujeres que hoy están en edad reproductiva es el mismo que manifestaron sus madres: 2,5 hijos. La diferencia es que entonces se tenían y hoy se quedan con el deseo.

Para aportar algunos datos he elegido una encuesta del Consejo Superior de Investigaciones Científicas de España realizada en 10.000 mujeres de 18 a 65 años titulada «Fecundidad y valores en la España del siglo XXI». El índice de natalidad en la Comunidad Europea es de 1,46 hijos por mujer. **La mujeres españolas tienen dos récords del mundo: el de solo 1,2 hijos por mujer y el de ser las que los tienen más tarde.** 31,5 años es la media de edad en que la mujer tiene su primer hijo en España.

El retraso de la maternidad y el empeoramiento de la calidad del semen tienen como consecuencia que el 15% de las parejas y el 18% de las mujeres españolas necesiten ayuda médica para poder ser madres.

¿Por qué tenemos los hijos más tarde?

A. LOS MÉTODOS ANTICONCEPTIVOS

Gracias a ellos la mujer puede decidir sobre su maternidad y esta se ha convertido en un derecho en lugar de un deber.

B. CAMBIO CULTURAL: ESTUDIO Y TRABAJO

La mujer ahora estudia y se ha incorporado al mercado laboral.

La edad en que se tiene el primer hijo es más tardía cuanto más alto es el nivel educativo: la edad media del primer hijo en mujeres con estudios superiores es de 33,5 años.

Las mujeres no rechazan la maternidad, pero desean compaginarla con su trabajo. Ello es imposible con un número elevado de hijos o con la maternidad antes de los 30.

Saben el importante esfuerzo que supone trabajar fuera y dentro de casa, atender hijos y pareja y, en muchos casos, dada la edad, también a sus mayores.

Antes de tener hijos, el 60% de las mujeres cree que la maternidad es un obstáculo para la vida laboral. Mientras que solo el 4% opina que esta circunstancia es negativa para los hombres.

¿Pero qué opinan cuando ya tienen hijos?

- El 81% opina que tener los hijos dificulta su vida laboral.
- El 28% redujeron su actividad laboral.
- El 17% dejaron de trabajar definitivamente. Se vieron obligadas a elegir entre trabajo o hijos.
- El 28% dejaron su trabajo al menos 1 año.
- El 8% refieren que la maternidad les generó discriminación.

C. CAMBIOS SOCIOECONÓMICOS

El coste de la vivienda es un factor clave: el 30% de los menores de 30 años vive aún con sus padres y se casan más tarde. El 80% de las mujeres que tienen ahora 30-34 años han convivido en pareja antes de casarse.

La mujer comparte los gastos domésticos y de hipotecas. Conoce el índice de divorcios y desea tener independencia económica.

Antes la mujer pasaba de la dependencia económica de su padre a la de su marido y hoy saben que un marido puede no ser para siempre y son conscientes de la necesidad de su independencia económica. Además, la mayoría de las familias se sustentan gracias al sueldo de ambos.

Existen grandes diferencias entre los países en cuanto a las leyes destinadas a la conciliación de vida laboral y familiar y en lo que se refiere al dinero que destinan a ayudas sociales a la maternidad. Viendo las estadísticas de número de hijos por mujer en países con cultura similar, se aprecia que esto se erige en un factor muy importante.

El culto a la eterna juventud y el retraso de la vejez

Lo estamos viviendo en la consulta: mujeres al borde de los 50 totalmente desesperadas por ser madres con una nueva pareja más joven. Es un fenómeno típico de países anglosajones. Ellas se han rejuvenecido, no entienden que están estupendas de todo menos de los ovarios. Son ellas las que suplican que las aceptemos como pacientes y nosotros los que insistimos en que no sería ético hacerlo por los riesgos que supone un embarazo a una edad tan tardía.

La británica Agatha Christie decía que «un arqueólogo es el mejor marido que una mujer puede tener, cuando más envejezca ella más se interesará él». En España, el fenómeno todavía no lo observamos, funciona más bien lo que el psicólogo Walter Riso llama el principio de Tarzán: «los hombres no se sueltan de una liana hasta que tienen otra más joven bien agarrada».

Todos esos cambios sociales se reflejan en los medios de comunicación, se normalizan y retroalimentan.

El hombre empieza a reclamar su derecho a ser padre soltero

La actual feminización del mundo le permite al varón reclamar su derecho a la sensibilidad y, al igual que la mujer, acceder a la paternidad en solitario. Hemos hecho tratamientos a parejas de amigos y de compañeros de trabajo que deciden tener un hijo en común.

Tenemos solicitudes de varones solteros homosexuales y también heterosexuales que piden información para tener un hijo con útero de alquiler en países donde es legal. Esto también viene fomentado por la dificultad para adoptar niños.

El hombre también está llegando a límites insospechados para lograr ser padre. Nos piden fecundación in vitro parejas «sospechosas»: europeo de 50-60 años con mujer vietnamita o de Etiopía de 30 años que no se entienden entre ellos en ningún idioma. No sabemos hasta qué punto debemos intervenir moralmente, pero parece claro que son acuerdos a través de internet.

Parece que maternidad-paternidad empiezan a desvincularse del compromiso emocional. La reproducción se disocia de la vida en pareja y del sexo. Tener un hijo empieza a contemplarse más como un proyecto personal que de familia.

La irrupción de las nuevas familias

Dice el pensador José Antonio Marina: «la familia resultó muy estable mientras fue una institución económica necesaria para la supervivencia. En las sociedades pobres los solteros no sobreviven. Cuando la situación económica cambia, los fines afectivos de la familia ocupan el primer plano, aparecen mayores expectativas y al mismo tiempo mayores posibilidades de fracasar».

Hoy las relaciones se hacen y deshacen, la esperanza de vida se alarga tanto que se hace difícil la monogamia. El divorcio y los segundos matrimonios hacen que una proporción no despreciable deseen tener hijos con su nueva pareja. Muchas veces el varón se hizo la vasectomía porque no deseaba tener más hijos y ahora quiera o no quiera se ve «obligado» ya que su nueva mujer no ha tenido.

El escritor Eduard Punset lo explica bien, antes nos moríamos a los 40 años y ahora a esa edad muchos ya han completado su proyecto vital: esa es su casa, su trabajo, su mujer, sus hijos, su entorno y... «¿Ahora otros 40 años igual?», se preguntan. Con frecuencia se pierde la ilusión y se buscan cambios motivadores.

Parece que el viejo lema «*hasta que la muerte nos separe*» ha quedado obsoleto.

Existe todo un catálogo de modelos familiares que nos llegan a consulta:

- **Familias simples**: dos cónyuges sin hijos.
- Familias **biparentales:** dos cónyuges con hijos.
- Familias **monoparentales**: una sola persona, con hijos, suele ser la mujer. El padre queda como *fijo discontinuo*. El padre puede ser un donante de semen, es decir, un *padre pajuela* (las muestras de semen de banco se almacenan en unos tubitos que les llamamos pajuejas). También puede ser un *padre difunto* antes de la concepción por haber dejado semen congelado a su viuda.
- Familias **reconstituidas** o **ensambladas**: reúnen hijos de varias relaciones.
- Familias **homo-parentales:** pareja homosexual con o sin hijos. Según las leyes de cada país se reconoce o no la maternidad entre lesbianas y la paternidad entre homosexuales.
- Familias «**living apart together**»: un nuevo fenómeno, viven separados pero juntos, cada uno en su casa.
- E incluso hemos inventado las... «**unidades familiares unipersonales**»: familias de uno.

¿Estamos los especialistas propiciando estos cambios sociales o simplemente les damos repuesta?

5

¡SOCORRO!
No me quedo embarazada

Rocío siente rabia y enfado con el mundo, además de una gran preocupación: está segura de que algo le pasa. Este mes incluso se había ido de incógnito a primera hora de la mañana al hotel donde los jugadores del Barça estaban concentrados para celebrar el partido contra el Manchester y, en el tiempo del paseo, cuando Jaime estaba sin su compañero de habitación, tuvieron relaciones sexuales. Ella se había colado haciéndose pasar por camarera. Lo hizo porque están locamente enamorados, porque sabía que a él le encantaría la sorpresa y además porque se había comprado un test de ovulación que le indicaba que ese era el día adecuado.

Llama a su amiga y a gritos le dice que le ha venido la regla, Lourdes le pregunta si le lleva compresas... ¡Cree que es lo único que necesita! Vaya clase de amiga, definitivamente no la entiende.

Su pareja entra en ese momento en casa y ella se abraza a él y se lo cuenta todo. Sorpresa total, su chico llora de emoción, dice que él también quiere, no un hijo, sino más, y que busque la mejor clínica que haya para que miren si hay algún problema.

Marta no sabe cómo decirle a Eduardo que quiere tener un bebé. Desde que lo decidió no ha habido ningún momento adecuado para hablarlo porque sus hijas adolescentes y su ex mujer están insoportables y son el tema de conversación diario y constante. Finalmente ha preparado el entorno: fin de semana en la playa, estrenando ropa nueva y con una copa de vino en la mano le dice que está enamorada de él, que le gustaría que cuando está con ella solo existieran ellos dos y que no se imagina su vida sin un pequeñín parecido a él corriendo por casa.

Eduardo se queda callado, tiene los ojos abiertos como platos y hace gestos de sorprendido, alucinado, asustado... Finalmente habla, evadiendo la mirada de Marta, y le dice que él también la quiere, que a él también le gustaría que cuando están juntos no existiera nada más y que por eso no le hace falta «nadie más».

El domingo Eduardo la deja en su piso y se despide de ella como si no hubiera ocurrido nada, como si el tema estuviera zanjado.

Marta se pasa la noche llorando, pero el lunes se levanta con decisión y llama a su amiga María José porque sabe que ha donado ovocitos. Tienen una cena-reunión de amigas, y María José le dice que sea cual sea el tratamiento que le vayan a hacer es un proceso sencillo, la anima y le dice que la acompañará a la clínica que quiera. Así, Marta entra en un foro de madres solas y dada su economía elige un centro *low cost* que promociona ofertas especiales para mujeres singles que asumen la maternidad en solitario.

Isabel tiene en una mano un tampax, en otra mano un puñado de kleenex y en la repisa del baño un test de embarazo que iba a hacerse mañana. Tiene la cara llena de chorretones de rimmel.

No le ha dicho a nadie que Javier y ella están buscando quedarse embarazados y ahora, en este momento, querría hablar con alguien. Con alguien que no fuera Javier porque en las cinco reglas anteriores le dijo lo mismo: «No te preocupes cariño, ya te quedarás otro mes».

Ella necesita lo primero un poco de consuelo, alguien que llore con ella, que luego le diga que lo está haciendo todo perfecto para conseguirlo y después que hay que buscar soluciones.

Pero aun así prefiere no contarlo. Podría hablar con su madre, pero...

¿Y si es problema de Javier? Sería como traicionar su intimidad. Podría comentarlo con sus amigas Nuria o Patricia... No, mejor que no. Porque ellas se quedaron rápido, no saben lo que se siente en esta situación y además ella es la eficaz del grupo.

Decide sobreponerse y actuar. No sabe si llamar a su ginecólogo o mirar en internet clínicas de reproducción. Tiene confianza con el ginecólogo que le hace las revisiones desde hace años, pero prefiere ir directamente a un experto. Ella quiere lo más rápido y eficaz. Así que se anima, entra en internet y prepara una hoja Excel con un cuadro comparativo de lo que le parecen ventajas e inconvenientes de las clínicas de Barcelona que salen en las primeras páginas. Se encuentra con un montón de datos. Todas tienen las mejores tasas de éxito, todas hablan maravillosamente de ellas y todos los testimonios que aparecen son fantásticos... No sabe por cual decidirse. Además se sorprende de las diferencias de precio. Pensando, se le ocurre que su prima Carmen, que es reumatóloga, ha tenido gemelos de fecundación in vitro (FIV). La llama porque piensa que como médico de Barcelona seguro que ha realizado la mejor elección. «¿Qué debe tenerse en cuenta a la hora de elegir una buena clínica de fertilidad?», le pregunta.

—Debes elegir un centro en el que te traten bien porque a tus embriones seguramente los tratarán igual. También es importante valorar el grado de innovación continua porque la reproducción asistida es una ciencia en continuo avance y te mereces lo mejor —le deja claro Carmen.

Cómo elegir una clínica

Es posible que algunas personas piensen que lo peor que les puede pasar es que la prueba de embarazo sea negativa. Pues no es así, hay cosas peores.

Me preocupa que, cada vez, recibo a más pacientes con tratamientos de reproducción previos mal orientados y mal realizados. La razón está en la proliferación de centros de fertilidad *low cost*. Unos son nuevos y otros trabajaban bien, pero ante la crisis económica solo han sabido bajar precios y, por tanto, calidad asistencial.

¿Por qué son más caros unos centros de reproducción que otros? Os cuento mi visión de este tema, como médico y también como directora general del Institut Marquès, con la información que tengo sobre la gestión económica de los centros médicos.

En las clínicas de reproducción, la mayor partida del presupuesto corresponde a personal. Los mejores médicos y los mejores biólogos trabajan en los mejores centros. Esto pasa en muchos otros sitios: los mejores pilotos de Fórmula 1 están en las mejores escuderías, los mejores futbolistas y jugadores de básquet son contratados en los equipos de primera división. Los mejores profesionales buscan los mejores sueldos, el prestigio y la seguridad de una buena marca.

Los profesionales de la sanidad buscamos, además, la ética, la proyección, la innovación, poder trabajar con la mejor tecnología, asistir a congresos que nos permitan estar al día en nuestros conocimientos, pertenecer a un equipo en el que haya buenos especialistas en todas las áreas y disponer de todo el tiempo que queramos para atender a nuestros pacientes.

Esto supone una partida económica superior, no solo por los sueldos, sino porque los centros que tienen equipos de este nivel han de disponer de más personas en plantilla para que estos puedan dedicar parte de su horario a hacer trabajos científicos, a acudir a congresos y seminarios, participar en proyectos, etc.

En cambio, en los centros con bajo presupuesto hay médicos y biólogos con menos experiencia o menor capacidad profesional. Solo se valora el número de pacientes que pueden visitar en cada sesión y que sigan las pautas administrativas que indica la empresa. No se exige nada más. En general, solo se busca la rentabilidad a muy corto plazo, porque en muchos casos los propietarios son una empresa inversora tipo capital riesgo. Saca beneficios y vende, no importa la calidad ni las quejas o denuncias, ellos en tres o cuatro años ya se habrán ido.

Otras partidas económicas pueden recibir mayor o menor presupuesto y de ellas también depende el nivel de calidad. Me refiero a las instalaciones, al número de personas dedicadas a la atención al paciente, al material sanitario, a la formación docente, a la investigación e innovación continua y al tener todos los servicios propios aunque no sean rentables por sí mismos.

¿Cómo afecta todo esto a los pacientes?

Las consecuencias de todo esto afectan a los pacientes en la indicación del tratamiento adecuado para su caso, en los resultados de su ciclo, en la seguridad durante el proceso en el laboratorio y en la elección de su donante de óvulos o semen.

En centros con bajo presupuesto, los médicos y los biólogos a la hora de indicar el tratamiento de reproducción adecuado hacen lo que pueden y no siempre lo mejor para el paciente.

Vemos casos en los que hubiera hecho falta una valoración por andrólogos o por genetistas y no se hizo porque no tenían esos especialistas en el equipo. Nos llegan pacientes de 40 años que han realizado una fecundación in vitro, tuvieron 8 embriones, se han realizado 4 transferencias de dos embriones y en la última hubo un embarazo que se interrumpió por una anomalía cromosómica que se detectó al llegar a la amniocentesis. Todo esto se podía haber evitado con un análisis genético, pero en el centro no se lo indicaron porque no disponen de servicio propio y, si lo pidieran a un laboratorio externo, sus ingresos económicos serían mucho menores, ya que se lo tendrían que abonar a ese centro externo, con lo que ellos dejarían de cobrar todos esos ciclos de transferencia de embriones congelados.

Los pacientes que nosotros recibimos por primera vez tienen una media de cuatro tratamientos previos fallidos. En muchos ca-

sos esos ciclos se han hecho muy bien, pero cada vez más, nos encontramos con tratamientos que no tenían prácticamente ninguna posibilidad de éxito y a esa pareja se le ha hecho perder tiempo, ilusiones y dinero. Me refiero especialmente a punciones de fecundación in vitro con solo un folículo y/o análisis hormonales que indican muy mala calidad de ovocitos.

El éxito del ciclo depende en muchos casos de los tratamientos complementarios bien indicados: DGP, IMSI, Embryoscope, polaraide... , de los que hablaremos más adelante. En los centros que no los tienen o que no los saben hacer, simplemente no los indican, con todo lo que esto supone. Además, en los centros buenos hay sesiones clínicas en las que participan los diferentes especialistas y se orientan mejor los casos. Los médicos no están presionados para hacer ciclos sea cual sea el pronóstico.

Resultados de los tratamientos de reproducción

Los resultados de cada centro dependen de la pericia de los biólogos y de que haya biólogos especializados en cada técnica. En los centros de bajo presupuesto el mismo biólogo tiene que hacer de todo. También dependen de los medios de cultivo y de todo el material utilizado en el laboratorio y desde luego los hay de precios muy diferentes.

Los ovarios y los embriones no tienen en cuenta los días festivos y los centros buenos tampoco, su actividad es igual todos los días. Cuando se intenta ahorrar se evita la actividad médica y de laboratorio los fines de semana (así se pagan menos guardias) y esto repercute en oscilaciones importantes en los resultados. ¡Conozco centros que solo recuperan ovocitos algunos días de la semana!

Los resultados también dependen de la carga asistencial de cada biólogo. Todos los procesos con ovocitos y embriones requieren seguir unos tiempos muy exactos. Y si un día hay muchos casos o por ejemplo en la punción ovárica se recuperan muchos ovocitos hará falta que ayuden más biólogos. Si no los hay, habrá retrasos.

Otro aspecto importante es la calidad de las instalaciones del laboratorio y los controles de las condiciones ambientales del mismo (temperatura, gases, pH de medios de cultivo...) que se llevan a cabo. Un laboratorio de FIV se puede montar con muy poco dinero y se puede hacer que funcione, pero no igual que uno con la mejor tecnología. Los embriones no duermen igual en un hotel de una estrella que en uno de cinco. Esto requiere inversión continua y en términos económicos no es rentable. Además, los pacientes no lo ven. Por eso, para poder estar seguros que se cumplen unos estándares de calidad es importante exigir que el centro elegido posea unos certificados oficiales que avalen su buen funcionamiento. Hay certificados de distinto nivel, la más elevada certificación de laboratorios de reproducción asistida es la UNE-179007.

La importancia de la seguridad en el laboratorio de fecundación in vitro

Como decía, algunas personas quizá piensen que lo peor que les puede pasar es que la prueba de embarazo sea negativa. Pues no es así. Para asegurarse de inseminar cada ovocito con el semen correspondiente o para transferir los embriones de cada paciente sin posibles confusiones, en los centros de alto nivel se trabaja en parejas. Cada biólogo debe hacer de controlador del otro. No se permite que un biólogo esté solo en ninguna tarea, ni siquiera durante el fin de semana: siempre hay otro supervisándolo. Esto es caro, pero reduce el riesgo de error.

Los embriones son muy sensibles a las condiciones físicas de su entorno. Aunque existen unos controles obligatorios para detectar contaminación en las instalaciones del laboratorio, son necesarias muchas más medidas de control en cuanto a la calidad del aire, temperatura, humedad... Siempre puede haber accidentes inevitables, por ejemplo, la rotura de una tubería de agua o entrada de material contaminado, pero lo que diferencia a un laboratorio de otro es la capacidad de detectarlo y de solucionarlo sin que afecte a los embriones que ese día están en cultivo.

Recuerdo que tuve que enfrentarme a compañeros de mi equipo cuando decidí que debíamos tener dos laboratorios, separados por una puerta blindada, porque la inversión y el mantenimiento suponían el doble de coste (por ejemplo dos máquinas de renovación y filtro del aire exterior en vez de una). Al poco tiempo tuvimos un problema con los niveles de humedad ambiental y gracias a esa medida pudimos trasladar al momento las placas de cultivo con los embriones al laboratorio de reserva y no pasó nada. Ya sabéis que a veces lo barato sale caro.

También es importante el nivel de seguridad de los tanques de embriones y de semen altamente valioso (por ejemplo, el congelado antes de realizar quimioterapia) para evitar robos, sabotajes, mala praxis...

Si estás seguro de que haces bien tu trabajo puedes ser transparente (los buenos restaurantes enseñan sus cocinas). En mi centro los pacientes pueden ver a sus embriones desde casa, ven en directo el video del Embryoscope. Esta práctica no se ha extendido y muchos centros alucinan con que hagamos esto, nos preguntan si no tenemos repercusiones médico legales. Pues no. No hemos tenido ninguna, al revés, nuestros pacientes lo valoran y agradecen porque es un ejercicio de transparencia, de compartir información y emoción y porque no tenemos nada que ocultar.

Hay un dato estadístico muy preocupante: en los centros más baratos no se descartan ciclos por mala respuesta y siempre hay transfer de embriones, aunque estos sean de mala calidad.

La inversión en seguridad es cara y es proporcional al precio del ciclo. Todas estas medidas extra de seguridad no son obligatorias. Lo que os he comentado puede ocurrir a pesar de cumplirse los requisitos que piden las autoridades sanitarias de cualquier país.

Elección de donantes de ovocitos y de semen

Cuando se necesita semen de donante, el ginecólogo le dice a la paciente que le asignará uno con características similares a las de su marido, o si es una mujer sin pareja masculina, que le asignará el que le parezca más adecuado. Si el centro dispone de banco propio, el ginecólogo verá todas las características del donante, incluso su foto, y podrá elegir entre muchísimos. Han invertido muchos esfuerzos y recursos en la selección de esos donantes. Pensad que por ejemplo en nuestro banco de semen, solo se admiten como donantes al 4% de los candidatos. Por el contrario, si el centro no tiene banco propio, el ginecólogo no podrá elegir por sí mismo, lo solicitará a un banco externo y desde luego no ven fotos.

Si hablamos solo de dinero, un banco de semen no es rentable. Las donantes de ovocitos prefieren ir a los centros que les parecen mejores, más lujosos. Según su nivel de calidad, cada centro descarta a un mayor o menor número de candidatas o candidatos. Descartan a miopes, personas de baja estatura, personas de nivel cultural bajo, personas que han consumido de drogas, etc. Los donantes descartados van a otros centros con criterios de selección menos exigentes.

La asignación de la donante puede hacerse de muchas formas, pero se hace mejor si como médico puedes elegir entre muchas y además le dedicas tiempo e ilusión. Y aún mejor si tu centro te permite asignar a dos donantes para cada paciente, por si una de ellas debe cancelarse (por baja respuesta, gripe, asuntos personales...).

Sabiendo lo importante que es la selección de los donantes, a veces me pregunto cómo hay personas que incluso para este tratamiento eligen el centro más barato. Si no va bien, ¿qué puedes hacer después? Yo creo que los tratamientos con donación de óvulos deben hacerse en una clínica en la que confíes plenamente, ya que, como ves, hay muchos aspectos que no puedes controlar.

Pienso que los centros médicos tienen que gestionarse bien para poder tener los mejores profesionales, las mejores instalaciones y los mejores aparatos con el único objetivo de curar a los pacientes. No deberían ser un negocio en el que algunos grupos inviertan solo para obtener rentabilidad y encima a corto plazo. Me horroriza ver cómo intentan atraer a personas con pocos recursos para conseguir su gran sueño, no dudan en presentar los resultados y los presupuestos con engaños. Con frecuencia, las personas toleramos que los sitios baratos ofrezcan menor calidad, pero deberíamos tener en cuenta que en ese lugar, todos los servicios serán del mismo nivel. Si cuando tienes una duda o problema no tienes quién te atienda perfectamente... con tus embriones pasará lo mismo. Como médico me avergüenzo de todo esto.

6

La primera visita en una clínica de fertilidad. Objetivos y pruebas clave

Objetivos

Los objetivos de esta primera visita son tres:

1. Realizar la historia clínica.
2. Orientar y solicitar las primeras pruebas de estudio.
3. Establecer una buena relación médico-paciente.

La historia clínica se realiza valorando aspectos relacionados con la fertilidad de la pareja. Los más importantes son:

- Edad de ambos.
- Antecedentes de embarazos previos, también del varón con parejas anteriores.

Es importante saber si los embarazos fueron evolutivos o acabaron en aborto, ya que hay alteraciones que se presentan como dificultad para conseguir la gestación y, si finalmente hay embarazo, que se produzca un aborto. En castellano «esterilidad» es la incapacidad para quedarse embarazada, e «infertilidad», la dificultad para llevar a término el embarazo, es decir, tener abortos. En inglés se denomina todo igual: «infertility». Lo que quiero recalcar es que la causa de esterilidad y de infertilidad en algunas ocasiones es la misma. **Es importante hacer bien el diagnóstico completo del origen del problema antes de orientar el tratamiento; no sabéis lo triste y frecuente que es recibir a pacientes que cuando finalmente consiguen el embarazo ven que este no evoluciona.**

Otros factores a valorar son:

- Posibles enfermedades hereditarias.
- Antecedentes de patología ginecológica como infección pélvica, miomas, endometriosis... o antecedentes de operaciones quirúrgicas de útero o de ovarios.
- Características de las menstruaciones.
- Frecuencia semanal de coito. Mis compañeros y yo solemos preguntar esto dirigiéndonos a un solo miembro de la pareja, la razón es que curiosamente no suelen coincidir en la respuesta. Y por supuesto no se debe a relaciones sexuales con otras personas. Si contesta ella puede referirse a la semana de ovulación pensando que es lo que más nos interesa y decir que todos los días.
- Profesión del varón: ya que algunas pueden tener riesgo para la fertilidad, medicaciones y antecedentes urológicos o infecciosos.

¿Cuánto tiempo ha de pasar para considerar que una pareja tiene problemas de fertilidad?

Aunque clásicamente se considera un año, es mejor adaptar este tiempo a la situación de cada pareja e individualizar cada caso. Hay situaciones en las que conviene empezar ya desde el momento en que la pareja expresa sus deseos de embarazo. Por ejemplo, si la paciente tiene alteraciones del ciclo menstrual, antecedentes de endometriosis, de operaciones o infecciones pélvicas, si tiene más de 35 años o si el varón ha tenido patología genital o urinaria.

Otro de los objetivos de esta primera visita es orientar y solicitar las primeras pruebas de estudio.

La primera fase de estudio se orienta a descartar las causas más habituales. Para que se produzca un embarazo es necesario:

1. Que se produzca ovulación y que los ovocitos sean aptos, es decir, capaces de dar lugar a un embrión evolutivo

¿OVULAS?

Si tienes ciclos menstruales normales hay que pensar que sí. Solo si tienes alteraciones del ciclo como menstruaciones cada varios meses es posible que haya un problema ovulatorio.

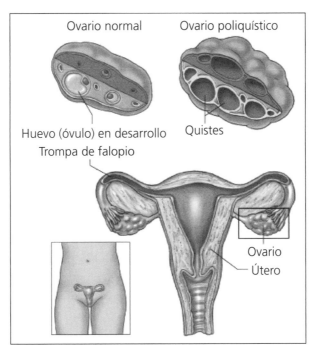

La ecografía y la analítica hormonal nos permitirán llegar al diagnóstico. La ecografía nos permite ver el aspecto de los ovarios. Hay chicas con retrasos de la regla cada mes debido a que sus ovarios son poliquísticos y no ovulan regularmente. En esta exploración también hacemos un recuento de los folículos de pequeño tamaño como índice de la reserva ovárica.

En otros casos las alteraciones de la regla y de la ovulación se deben a niveles altos de prolactina en sangre. Esta hormona es la que se produce cuando una mujer está dando el pecho, pero es frecuente un trastorno funcional de la misma y la paciente se queda en una situación similar a la de la lactancia.

¿TUS OVOCITOS TIENEN BUENA CALIDAD?

Desde el capítulo dos, ya eres una experta, así que ya que sabes que la cantidad y la calidad de la reserva ovárica disminuye con la edad, y que la edad ovárica no siempre coincide con la edad biológica. La dotación folicular queda establecida en el momento en que nace la mujer, conforme pasan los años se reduce la cantidad de ovocitos susceptibles de dejarse fecundar y dar lugar a un embarazo a término.

Para averiguar la calidad de los ovocitos se solicita un **análisis de sangre** llamado «analítica hormonal basal». Se debe realizar el segundo o tercer día de la menstruación, momento en que se valoran los niveles de FSH, la hormona que estimula el desarrollo de los folículos, de LH, hormona necesaria para inducir la ovulación, y de Estradiol, hormona que producen los folículos en crecimiento y de prolactina.

Es importante saber ya desde el primer momento tu edad ovárica y en mujeres de más de 35 años analizamos también la hormona antimulleriana.

Hormona Antimulleriana
Valores normales en función de la edad de la mujer

Edad de la mujer	Cantidad de mg/dL
20-24	3.97 (3.55-4.33)
25-29	3.34 (3.03-3.87)
30-34	2.76 (2.34-3.55)
35-39	2.05 (1.76-3.24)
40-44	1.06 (0.76-2.13)
45-50	0.22 (0.12-0.49)

2. Que el semen sea fértil

Para determinar si el semen es fértil o no se solicita un Seminograma.

Un eyaculado debe tener un volumen superior a 2 ml, más de 20 millones de espermatozoides/ml, deben moverse bien más del 25% y tener forma normal al menos el 4%.

Cuando el diagnóstico del seminograma es de **Normozoospermia** quiere decir que los espermatozoides son normales.

Resulta curioso que el día en que un paciente analiza por primera vez el semen es un día muy importante. Quieren hacer todo lo que está en su mano para que sea un éxito, y nunca mejor dicho.

El paciente recibe las siguientes **Instrucciones para la recogida del semen**

1. La muestra puede ser recogida en casa o en una sala de obtención especialmente adecuada en una clínica.
2. Guardar abstinencia sexual entre 3 y 5 días. Esto supone no tener pérdida de semen, ya sea por coito, masturbación o cualquier otra circunstancia, durante dichos días.
3. Al entregar la muestra se pedirá DNI y petición correspondiente. No se acepta ninguna muestra que no vaya acompañada de estos documentos.

CÓMO PROCEDER:

1. Se necesita un frasco estéril que puede ser adquirido en la farmacia.

   No se admite ningún otro recipiente. No es válido el preservativo comercial. No obstante, si es necesario, se puede solicitar un preservativo sin espermicida en el centro y depositarlo dentro del frasco estéril una vez recogida la muestra.
2. Se le facilita una etiqueta que se debe rellenar con el nombre, la fecha y la hora de obtención de la muestra. La etiqueta se debe enganchar en la parte exterior del frasco. También, escribir los días de abstinencia y si la muestra está completa.

3. Antes de la obtención de la muestra se recomienda orinar. Posteriormente se debe lavar la piel del pene con abundante agua y jabón, procurando que no queden restos de jabón en la piel que podrían alterar el resultado de la muestra. La muestra se obtiene por masturbación. Es importante recoger todo el semen. Si se pierden algunas gotas o se derrama puede interferir en el resultado y se debe anotar como muestra no completa.

4. El frasco con la muestra de semen se debe entregar antes de transcurrida una hora desde la obtención. Debe procesarse cuanto antes para separar los espermatozoides del líquido seminal.

Con el papel de la solicitud y esta información empieza la aventura. Parece evidente cómo obtener la muestra, pero quizás deberíamos explicarlo más para evitar sorpresas, ya que al microscopio llegan muestras que parecen un asesinato: todos los espermatozoides muertos por espermicida al haber usado un preservativo.

¿CÓMO TRAER EL RECIPIENTE?

Por una parte muchos quieren asegurarse de que los espermatozoides no se escapen del bote y encima de la rosca ponen celofán y los más temáticos, esparadrapos. También es importante la presentación del tesoro y aquí vemos variedad: desde envuelto en papel de aluminio hasta las bolsas más originales de las diferentes tiendas donde han comprado comida, ropa, etc. Cuando hemos hecho estudios de poblacionales en jóvenes, llegaron a traerlo en botes de mermelada y hasta en tubos de couldina muy estrechos (¡no sé cómo hacían para acertar!)

¿CÓMO TRANSPORTAR EL BOTE?

Si la muestra la traen en coche, nos preguntan si mejor con la calefacción o con el aire acondicionado puesto. Desde luego que no afecta. Si la traen en moto les pedimos que la traigan bien sujeta, un paciente la traía en un bolsillo de la chaqueta y se le cayó; su semen acabó desparramado en el cristal del coche que iba detrás.

¿CÓMO TRAERLO A TIEMPO?

Eyaculan y salen corriendo para entregarla antes de una hora. Al dejarla en la clínica se sorprenden de que quien la recoge no salga también corriendo para llevarla al laboratorio, como si fuera una carrera de relevos. Lo que sí que agradecen en este momento es que no miremos mucho el bote porque siempre les parece que ha salido poca cantidad. Es verdad, ¡2-5 ml ocupan muy poco! Es muy frecuente la pregunta: «¿Lo tendría que haber llenado más?». La respuesta es que la calidad del semen no depende del volumen, el líquido se produce en las vesículas seminales y en la próstata y solo es un vehículo para los espermatozoides. Lo que sí sabemos es que una buena estimulación sexual dará lugar a una muestra mejor.

¿CÓMO EVITAR CONFUSIONES DE MUESTRA?

Esto les preocupa mucho y a nosotros también. Siempre se comprueba delante del paciente que el recipiente esté perfectamente etiquetado con su nombre y en nuestro centro se mira su foto en la historia informática para asegurarnos de que es el mismo varón. Si la muestra la trae su mujer, tiene que venir con un documento firmado por el varón. En el laboratorio también continúan los controles estrictos.

Por último, quiero comentaros algunas cosas en relación con los días de abstinencia sexual previos. Para un seminograma, se indican de 3 a 5 días de forma estándar, pero es simplemente como reflejo de la realidad, ya que esta es la frecuencia de coito más habitual entre las parejas. Pero cuando la muestra de semen que se entrega es para utilizar en el tratamiento, cada vez le damos menos importancia a la abstinencia previa, porque si el varón lleva más días sin eyacular hay más volumen de semen, pero también se acumulan espermatozoides viejos y muertos y empeora la fragmentación del ADN. Además, para hacer microinyección espermática (ICSI) necesitamos muy pocos espermatozoides.

Así, cuando la aventura acaba con un informe que pone «normozoospermia», ¡los hombres se quitan un peso de encima! Cuando el informe del primer seminograma que hace un varón presenta alteraciones, antes de dar como definitivo un diagnóstico, debe repetirse otro análisis con un intervalo de más de 2 semanas porque hay grandes variaciones fisiológicas en la calidad del semen. Si el día que pensaba obtener la muestra se pone enfermo y con fiebre, el hombre piensa que es mejor no hacerlo porque los espermatozoides pueden salir mal; sin embargo, el ciclo de formación de los espermatozoides es de dos meses y medio, por tanto, cuando van a salir mal es pasado ese tiempo. Así, es posible que un eyaculado sea peor de lo habitual por haber pasado un proceso febril y no recordarlo.

El factor masculino (esterilidad masculina) está asociado al 50% de los casos de esterilidad conyugal, en el 30% de los casos como único responsable y en el 20% restante está combinado con un factor femenino.

3. Útero capaz de acoger el embrión

Con la ecografía vaginal descartamos una patología uterina y ovárica tipo miomas, pólipos (en ambos casos, si son de pequeño tamaño y no obstruyen un orificio de las trompas está demostrado que no afectan y no es necesario extirparlos), endometriomas... Valoramos también la morfología de la cavidad endometrial. El endometrio es la capa interna del útero, se desarrolla cada mes esperando que se implante un embrión, si no es así, se desprende y sale al exterior, es lo que llamamos «menstruación».

4. Que las trompas sean permeables

¿Qué significa que las trompas son permeables? Significa que permiten que los espermatozoides lleguen desde el útero a su tercio medio y se encuentren con el ovocito, que sean capaces de recoger al óvulo que ha liberado un ovario, que aporten los nutrientes necesarios a los gametos (gametos son los ovocitos y los espermatozoides) y al embrión los días que los tiene en su interior. Además, después de que se fecunde el ovocito debe trasportar al embrión hacia el útero, al cual debe llegar tres días después. Cuando la trompa permite todo menos esto último, el embrión se queda en su interior y se produce un embarazo ectópico.

La prueba que estudia la permeabilidad de las trompas se llama «histerosalpingografía». Consiste en colocar a la paciente en posición ginecológica y a través del cuello del útero introducir un líquido de contraste. Radiológicamente se observa cómo rellena el interior del útero y cómo fluye por las trompas. Si se hace la preparación adecuada con antibióticos y espasmolíticos carece de riesgos y es poco molesta.

Si la histerosalpingografía es normal pensaremos que las trompas son permeables, pero no nos asegura que cumplan perfectamente todas sus funciones de nutrición y transporte. Si presentan alteraciones como obstrucción al paso del contraste o dilataciones (se llaman «hidrosalpinx») el tratamiento es la fecundación in vitro, así en laboratorio hacemos que se encuentren los gametos.

Si en la prueba de las trompas se observa que están ambas obstruidas ya se puede diagnosticar de forma definitiva un factor tubárico.

¿Qué pasa si una trompa se observa correctamente y la otra es patológica? Es discutible, pero si la paciente no tiene antecedentes de cirugía, y sabemos que la causa más frecuente de afectación tubárica es la infecciosa, es difícil imaginar que solo haya afectado a una de ellas, probablemente afectó a una más que a la otra pero ninguna de ellas va a presentar una buena funcionalidad.

La principal causa de afectación de las trompas es una infección por gérmenes que llegan desde la vagina, por contagio sexual. Habitualmente no da ningún tipo de síntomas. No tiene tratamiento, las trompas no se recuperan, pero en estos casos es conveniente hacer cultivos endometriales de Chlamydias, Ureaplasmas y Mycoplamas. Si son positivos se indica tratamiento con antibióticos para curar la endometritis (inflamación del endometrio), ya que podría dificultar la implantación de los embriones. El antibiótico lo tiene que tomar también el varón para evitar reinfecciones.

Cuando tengo que decirle a una paciente que tiene mal las trompas intento ser positiva y explicarle inmediatamente que podrá tener hijos con FIV pero con frecuencia insisten en profundizar en el origen de la infección. Dado que no suele dar síntomas es posible que se haya producido muchos años antes. Intento evitar que empiecen a buscar culpables, me refiero a que hacen listado de sus anteriores parejas sexuales o de las de su marido, aún así no se como continua la escena en casa...

He puesto la prueba de las trompas en último lugar porque dado el elevado número de varones con mala calidad de semen es mejor valorar el seminograma antes de solicitarla. Asimismo, si con la ecografía o los análisis hormonales se diagnostica un problema que indique necesariamente la FIV, tampoco es necesario pedirla.

Antiguamente se realizaba una intervención quirúrgica llamada laparoscopia diagnóstica para observar directamente, desde el interior del abdomen, el útero, los ovarios y la funcionalidad de las trompas, pero en la actualidad está totalmente en desuso.

Con estos estudios de la primera fase se llega al diagnóstico de la causa de esterilidad en la mayoría de los casos.

Si todas estas pruebas son normales, se pasa a la segunda fase, ya que todavía nos queda por saber si se produce correctamente la fecundación: la implantación de los embriones y la calidad de los mismos.

5. Establecer una buena relación médico-paciente

Otro de los puntos cruciales en la primera visita es establecer una buena relación con el paciente. Es muy importante que encuentres un médico en el que confíes plenamente, que sientas que le importas, que se preocupe de ti y que te lo demuestre. Pero también es fundamental que este forme parte de un equipo grande por todo lo que te expliqué en el capítulo anterior.

Isabel y Javier llegan puntuales a la consulta para realizar su primera visita. Apagan sus móviles y sacan el dossier con las fechas de las últimas menstruaciones y los días exactos en que tuvieron relaciones. Lo han hecho entre los dos y me lo enseñan plastificado.

—Llevamos casi un año y no nos quedamos embarazados. ¿Cómo puede ser? —me preguntan.

—Mirad, es posible que no haya ningún problema. Las parejas de vuestra edad pasado un año solamente habrán conseguido un embarazo el 40%. Pasado otro año, un 30% más y una de cada cinco, solo lo logrará con ayuda médica. No sé todavía por qué no te has quedado embarazada, pero vamos a iniciar un estudio de esterilidad.

—¿Cómo de esterilidad? —dice indignada y sorprendida Isabel.

—Sé que es un shock enterarte de que tras llevar un año sin conseguir un embarazo se habla de esterilidad. Es una palabra horrorosa y que provoca sentimientos muy negativos.

—Yo nunca pensé que me podía pasar esto, que me digas que soy estéril... —se lamenta Isabel.

—Isabel, buscaremos la causa y le pondremos solución. Pero hoy además de pedirte las pruebas, quiero hablar de cómo te sientes y vamos a hacer un plan para que todo esto pueda convertirse en una buena experiencia.

—Pues de momento la experiencia es mala. Mi marido dice que unos días lo rechazo y otras lo busco y que nunca sabe cómo voy a reaccionar. Pero claro... Yo estoy focalizando las relaciones a la ovulación. Dice que ya no disfruto con el sexo y tiene parte de razón —me confiesa Isabel.

—Lo ideal es mantener la misma frecuencia de siempre asegurándote tener relaciones sexuales en tu caso el día 13 del ciclo. También te sugiero que habléis de este tema entre vosotros un máximo de unos 15 minutos al día.

—Se va a poner muy contento si te hago caso y encima me has dicho que él solo tiene que hacerse un seminograma. Y yo los análisis hormonales, la ecografía y después no sé cuántas cosas más.

Javier le coge la mano y le dice que él también hará todo lo que haga falta y que van a estar juntos en todas las pruebas.

Marta entra en la consulta con María José. Llega muy seria y muy segura de sí misma. Nada más sentarse me mira y dice: «Doctora, quiero hacerme una inseminación con semen de donante».

Yo sonrío mientras pienso que, por cómo lo dice, más que un deseo, parece una sentencia. Le explico que necesito una ecografía, la prueba de las trompas y una determinación de la hormona antimulleriana para saber su edad ovárica real. Si estas pruebas salen todas bien, podemos realizar las inseminaciones. También le encargo que piense qué aspectos de todo el proceso le preocupan más, cómo va a explicarlo a su entorno familiar y de amigos y que me lo cuente en la siguiente visita cuando hablemos de tratamiento.

Me dice que quiere tener el hijo sola y después cuando le pregunto si María José es su pareja, riéndose me explica que tiene una pareja masculina, pero que no quiere tener más hijos y que se ha quedado «ahí fuera». Cuando **Marta** le dijo a Eduardo que ella no quería quedarse sin tener hijos y cuál era su decisión, estuvieron dos semanas enfadados. Después un día la esperó al salir de trabajo y le repitió que no quería empezar otra vez con la responsabilidad de más bebés, pero que no quería perderla. Finalmente, llegaron al acuerdo de intentar compartir lo que buenamente pudieran, es decir, él seguir viviendo solo, verla los fines de semana que no tuviera a los niños y colaborar con el embarazo de Marta económicamente.

Ella ha dejado a un lado sus sentimientos hacia él y hacia su actitud porque en este momento la ilusión de quedarse embaraza le llena su mundo. Viene a mi centro porque es donde atendieron los partos a la mujer de Eduardo y este va a pagar los gastos. Su implicación es realmente extraña: cuando Marta ha llegado con María José, la enfermera le dijo que la estaban esperando y se encontró a Eduardo en la sala de espera.

Rocío llamó para pedir hora y confidencialidad porque no quiere que vean en un centro de esterilidad a su «famoso», le vamos a llamar Jaime. Llegan acaramelados, él vestido de sport y ella pintadísima y con tacones de aguja, arreglada al máximo para la ocasión. Al inicio de la visita Jaime está más pendiente del móvil que de lo que digo pero levanta la vista cuando menciono el seminograma como prueba necesaria. Es muy simpático y con gracia e ironía me dice que le preocupa donde va a tener que «obtener la muestra», pero cuando le doy las instrucciones, se echa a reír y me dice que pensaba hacerlo en casa por miedo a que lo reconocieran, pero que tras leer esto, lo que se va a encontrar en la «sala de obtención», no piensa perderse la experiencia.

7

La calidad del semen. Factores relacionados con la fertilidad masculina

Cuando a un varón le pedimos una muestra para un *seminograma* o para otros estudios no suele haber ningún problema. La obtiene en su casa y la trae. Pero cuando es el momento de dar la muestra para la fecundación in vitro, la cosa cambia. En general están nerviosos, hipersensibilizados por la responsabilidad que supone hacerlo bien. Temen no ser capaces de lograr la excitación adecuada en un entorno desconocido, con ambiente hospitalario, a la hora que le manden y con frecuencia con su mujer en quirófano para la recuperación de óvulos.

Si a esto se suma que la causa de la esterilidad es suya, aún aumenta más su implicación por un cierto sentimiento de culpabilidad. Los médicos les preguntamos si creen que van a tener problemas ese día. La mayoría dicen que no, otros prefieren traerla de su casa, del hotel o dejarla congelada previamente porque temen que puedan presentarse dificultades. Agradecen mucho el poder decirlo a los médicos y ver que es algo habitual porque, desde luego, ante su mujer no pueden quejarse ni exponer ningún tipo de temores, ya que la contestación suele ser «bueno, cariño, es lo único que tienes que hacer...»

Los varones de «ningún problema» suelen salir de la sala de obtención de muestras con cara de «misión cumplida», pero con miedo a que haya salido poca cantidad o peor semen que otras veces.

La cantidad de semen (volumen del eyaculado), la calidad del mismo y el nivel del orgasmo dependen del grado de excitación sexual alcanzado previamente. Me refiero a que es mejor cuanto mayor sea la intensidad y el tiempo de excitación. Esto se debe a que aumenta más la vascularización de las vesículas seminales y de la próstata que son las glándulas que producen el líquido seminal y se favorece así que la eyaculación sea completa.

Cuando la excitación es menor, como suele ocurrir este día, con frecuencia la eyaculación es incompleta y el varón se da cuenta. En algunos casos se produce un bloqueo, no son capaces de conseguirlo y supone una experiencia traumática.

En estas situaciones les preguntamos si no consiguen erección o bien si se han excitado, pero no pueden eyacular. En el primer caso les damos una pastilla de las que inducen erección. Pero es más frecuente que lo que no consigan sea la eyaculación ya que, por efecto psicológico, se bloquea este reflejo. En tal caso les damos un ansiolítico.

A todos les pedimos que se relajen sentados o paseando durante una hora y les explicamos que, si no lo consiguen, no deben preocuparse porque podemos extraer los espermatozoides con una técnica sencilla. A pesar de que ya se imaginan que la tal técnica sencilla es pinchando un testículo no se asustan, les quita presión. Es excepcional tener que pasar a este plan B.

Las mujeres de los bloqueados se quedan sorprendidas del protagonismo que repentinamente adquiere su pareja ¡mientras ella es la que está saliendo de quirófano! Lo cierto es que en los ciclos de FIV el hombre es el gran olvidado y nos hemos propuesto ayudarle.

Por mi experiencia, creo que hay que cambiar las salas de obtención de semen para que no parezcan una clínica y, por otra parte, indicarle cómo puede apoyar emocionalmente a su mujer a lo largo del ciclo y especialmente en los días de espera de la prueba de embarazo.

Con este propósito he pasado meses preguntando a muchísimos señores cómo le gustaría que fuera la sala. Bueno, pues no he conseguido casi ninguna información porque cada uno tiene gustos totalmente diferentes.

Os cuento los resultados de mi particular investigación:

Los hombres tienen en común el deseo de intimidad, de sentirse aislados para poder concentrarse en el estímulo sexual. También valoran muchísimo la higiene y el conocer previamente el sitio porque esto les da seguridad.

Como os decía, hay gran variación individual en cuanto a lo que les excita y en cuanto a la postura que les facilita la eyaculación. Esto también ocurre en la posición que adoptan durante las relaciones sexuales, algunas le impiden la eyaculación. Así, en mi estadística, la mayoría quieren masturbarse sentados en un sofá cómodo, pero otros prefieren tumbarse y algunos quedarse de pie.

Para ofrecer todos los posibles estímulos sexuales me dispuse a preparar la oferta que debían encontrase en nuestras salas de obtención y así ellos poder elegir.

En internet y en los sex-shops llama la atención la cantidad de juguetes sexuales que hay para mujeres y los pocos que hay para hombres heterosexuales. Finalmente, la selección fue la siguiente:

- La clásica revista pornográfica.
- Pantalla de vídeo con todo tipo de temas y secuencias a elegir. En secreto os digo que intenté quitar las de mujeres vestidas de enfermeras pero mi equipo no me dejó. ¡Son las preferidas!
- Gafas de realidad virtual con un dispositivo para ver las películas para adultos.
- Una vagina de goma. Pueden usarla durante la excitación.
- Un pack de regalo con una gafas VR y una vagina de goma para que después puedan compartir su experiencia contigo.

 En este vídeo podéis ver cómo han quedado las salas de obtención de semen del Institut Marquès: http://institutomarques.com/reproduccion-asistida/tecnologia-avanzada/erotic-personal-system/

¿Está disminuyendo la fertilidad masculina?

Por razones evidentes las mujeres nos sentimos atraídas por los espermatozoides, pero, en mi caso, el hecho de dedicarme a la esterilidad permite que esta curiosidad sea sana. Es uno de mis temas preferidos y esto ha hecho que desde hace años haya impulsado a mi equipo a la investigación de las causas de la esterilidad masculina.

Según la OMS, hasta el año 1985 el número normal de espermatozoides en el eyaculado era de 100 millones/cc. Como la normalidad se establece basándose en la media de los análisis realizados, lo han tenido que ir bajando, en 1986 a 60 millones/cc., en 1992 a 20 millones y en 2010 a 15 millones/cc.

Nosotros empezamos en el año 2003 a estudiar la calidad de semen de los varones españoles. Hicimos estudios poblacionales comparando la calidad del semen según las diferentes comunidades autónomas y según las edades. Estamos satisfechos de haber contribuido a convencer a la comunidad científica de que las causas clásicamente atribuidas (estrés, pantalones apretados, alcohol...) son un mito y que la realidad del problema viene por los tóxicos químicos. La contaminación industrial está jugando un papel clave.

Los tóxicos a los que nos referimos son sustancias químicas sintetizadas por el hombre en las últimas décadas y de uso habitual en la industria, en la agricultura y en el hogar. Se les llama «disruptores endocrinos», y son un largo listado de compuestos que en el organismo de la mujer se comportan como estrógenos. Resultan muy resistentes a la biodegradación, están presentes en nuestra alimentación y en el ambiente, se acumulan en el organismo, especialmente en la grasa, y los humanos y animales no estamos diseñados para eliminarlos. El primer contacto con estos tóxicos químicos empieza en el inicio de la vida. Llegan desde la sangre materna, a través de la placenta, al embrión. El tipo de tóxicos y la cantidad de los mismos dependerá de los niveles que tenga su madre.

En la actualidad se está hablando mucho de la alimentación de la embarazada, pero en lo que se refiere a estas sustancias no es lo que coma la madre durante el embarazo, sino con lo que ha convivido esa mujer desde su infancia, desde su vida intrauterina. Llegan a nosotros y actúan como si fueran estrógenos, es decir, hormonas femeninas. Durante el desarrollo de los testículos del feto, a los 2-3 meses de embarazo, es muy importante la acción de la testosterona, la hormona masculina. Pues bien, estos falsos estrógenos compiten con ella y no le dejan ejercer correctamente su función, se forman menos células productoras de espermatozoides y en los casos más severos se producen alteraciones cromosómicas (genéticas) en ellos.

Este empeoramiento de la calidad del semen se está produciendo en las áreas industrializadas y en las zonas rurales en contacto con pesticidas, hay por tanto grandes variaciones geográficas. Según nuestros datos, el eyaculado de un gallego tiene casi el doble de espermatozoides que el de un catalán. Además, en las zonas de mayor contaminación están peor los jóvenes que los varones de mayor edad, ya que estos no estuvieron en contacto con ellos en su infancia porque no existían.

Esto, en el adulto, causa a nivel de la población general subfertilidad. No quiere decir que sean estériles, sino que tardarán más tiempo que otros en conseguir un embarazo, dependiendo siempre de la edad y fertilidad de su pareja. A nivel individual causa esterilidad o abortos de repetición. **Hemos logrado avances importantísimos en muchos aspectos de nuestra salud, pero en cuanto a la salud reproductiva, en las áreas industrializadas, se ha reducido a menos de la mitad con respecto a la generación de nuestros abuelos.**

Estas sustancias químicas y materiales creadas por el hombre en las últimas décadas: pesticidas, plásticos, pinturas, barnices, detergentes..., la naturaleza no sabe metabolizarlos ni degradarlos. Imagina un plástico en el mar o las microfibras sintéticas que se desprenden de lavar forros polares, permanecen para siempre y los componentes se acumulan en peces que después nosotros nos comemos. Los animales y los humanos tampoco sabemos metabolizar por ejemplo el metacrilato.

En mi opinión, estas sustancias se han creado para que vivamos mejor. Las moquetas de los sofás, por ejemplo, llevan retardantes de llama que reducen el riesgo de incendio, pero no se conocía su efecto. Nadie es culpable. Pero desde el momento en que se conocen sus efectos nocivos para la salud se impone un cambio. Este cambio debe materializarse en las políticas medioambientales mundiales y en todos nosotros. No sirve de nada que la Unión Europea prohíba el uso de una sustancia, si luego compramos lo que han producido países que la permiten. En un mundo de comercio globalizado, si se veta un determinado pesticida y luego comemos fruta procedente de otro lugar no se está corrigiendo el problema.

Además, debemos estar informados sobre lo que consumimos. Tenemos el deber y el derecho de saber lo que contienen los alimentos, los cosméticos o los biberones que llevan bisfenol-A, una sustancia que se desprende al calentarlos... Porque hay alternativas. Imagínate los cuidados que le quieres dar a tu bebé y que, sin saberlo, le estés haciendo esto.

En la actualidad, son cada vez más los expertos que se suman a la denuncia de los efectos de las sustancias químicas sobre la salud de los ciudadanos. Pertenezco al grupo de especialistas en disruptores endocrinos impulsado por la Fundación Vivo Sano, y con ellos colaboro en diferentes acciones, como por ejemplo la producción del documental «La letra pequeña»[1]. Aunque desde que empezó la crisis económica lo cierto es que nos hacen menos caso; se considera un problema más lejano.

En la inmensa mayoría de los varones sanos con seminograma alterado, no hay una causa médica adquirida, pero hay algunos antecedentes médicos que pueden afectar a la fertilidad. Los más frecuentes: enfermedades de transmisión sexual o de prostatitis y el varicocele.

¿Qué es el varicocele?

Se trata de unas varices en los testículos, es decir, de la dilatación de las venas que salen del testículo. Se da con mayor frecuencia en el testículo izquierdo. En la mayoría de los casos el varicocele es asintomático. Así que suele ser un hallazgo de la exploración genital que se realiza a los varones que consultan por esterilidad o por

---

1. Puedes verlo en www.vivosano.org

dolor o molestias testiculares inespecíficas (varicocele sintomático). Está causado por la ausencia o fallo de las válvulas de las venas. Actuando como compuertas, estas evitan que la sangre, una vez haya salido del testículo en dirección ascendente por la vena espermática y que desemboca a nivel de la vena del riñón, vuelva a bajar hacia el testículo. La dilatación de las venas del testículo puede producir un aumento de la temperatura del testículo, falta de oxigenación del mismo y obstrucción por compresión del inicio de la vía seminal. Además, elementos de desecho procedentes del riñón o de la glándula suprarrenal pueden alcanzar el testículo y actuar como tóxicos. Todos estos efectos pueden dar lugar al descenso de la producción y/o calidad de los espermatozoides. Datos de la Organización Mundial de la Salud (OMS) indican claramente que el varicocele guarda relación con anomalías seminales, un volumen testicular disminuido y un deterioro de la función de las células de Leydig, encargadas de producir testosterona. **El varicocele está presente en el 11 % de los varones adultos y en el 25 % de aquellos con seminogramas alterados.** Solo en pocos casos hace falta tratamiento y consiste en ligar las venas del testículo a nivel de la ingle (varicocelectomía) bajo anestesia local y de forma ambulatoria.

Ahora vas a ser también una experta en **valoración de seminogramas.** En este cuadro, se recogen los parámetros normales según la OMS.

	4ª edición (1999)	5ª edición (2010)
Licuefacción	Completa	Completa
Volumen	2ml	1.5ml
Color	Blanco opalescente	Blanco opalescente
pH	7.2-7.8	>7.1
Concentración (ml)	20 millones	15 millones
Móviles progresivos	50% de espermatozoides tipo a+b	32%
Vitalidad	75%	58%
Morfología	15%	4%
Leucocitos (ml)	< 1millón	< 1 millón

Los diferentes diagnósticos pueden ser:

Normozoospermia: Significa que el semen cumple los parámetros de normalidad establecidos por la Organización Mundial de la Salud.

Hipoespermia: Volumen inferior a 1'5 ml. En muchas ocasiones se encuentra en ausencia de patología y relacionado con las condiciones de obtención de la muestra. Pérdida de muestra en el momento de la obtención, insuficientes días de abstinencia, escaso estímulo sexual o corta duración del mismo... Pero si se confirma deberemos descartar una obstrucción en la vía seminal. Esto requiere valoración por expertos en Andrología.

Hiperespermia: Volumen superior a 6 ml. Normalmente no traduce ningún tipo de patología, ya que está en relación al tamaño de las vesículas seminales. Estas glándulas son responsables de prácticamente el 70% del total del volumen seminal.

Azoospermia: Ausencia de espermatozoides en el semen. Afecta aproximadamente al 2% de los varones. Puede deberse a que no se producen los espermatozoides en el testículo o a una obstrucción en los conductos de la vía seminal que impide que lleguen a eyacularse. Situación similar a los varones que tienen hecha la vasectomía. En estos casos es necesaria también la visita al andrólogo.

Oligozoospermia: Cuando la concentración de espermatozoides es menor de 20 millones por ml, o cuando en la totalidad del eyaculado hay menos de 40 millones de espermatozoides. Puede presentarse en diferentes grados, en muchos casos no se llega a saber la causa o no hay tratamiento para ella. Requiere valoración por un andrólogo, ya que en el 19% de los varones se asocia a alteraciones en los cromosomas de los espermatozoides (meiosis patológica). Si no se consigue mejoría se recurre a la técnica de reproducción asistida adecuada según el test de recuperación espermática media (REM), es decir, a inseminaciones intrauterinas o a fecundación in vitro.

Polizoospermia: Se denomina así la presencia de más de 200 millones de espermatozoides por ml. Se duda si puede ser causa de esterilidad, ya que una concentración tan elevada de espermatozoides podría dificultar el movimiento progresivo de los mismos. En muchos casos se asocia a una disminución del volumen del eyaculado. En la práctica se soluciona preparando el semen para hacer inseminaciones intrauterinas.

Astenozoospermia: Se define así la disminución del número de espermatozoides móviles. Es la alteración seminal más frecuente. Puede deberse a múltiples causas. Si es astenozoospermia leve no le damos importancia; cuando es moderada o severa se requiere un estudio andrológico.

Se llama «movilidad tipo a» cuando se mueven de forma rápida progresiva y lineal. La «movilidad tipo b» es cuando estos parámetros están reducidos. «Movilidad tipo c» cuando tienen solo movimiento vibratorio. Si tras la consulta de andrología no se consigue mejorar, se recurre a la técnica de reproducción asistida adecuada según el test de REM, o sea, a inseminaciones intrauterinas o a fecundación in vitro.

Teratozoospermia: Un espermatozoide tiene que tener una cabeza, una pieza intermedia y una cola. Y se necesitan tantos millones de espermatozoides para fecundar un solo óvulo porque la mayoría tiene formas alteradas. No hay que asustarse porque puedan tener doble cola, doble cabeza, o porque no se parezcan siquiera a un espermatozoide. De hecho, con que el 14% de los espermatozoides presente una forma normal ya es suficiente. La teratozoospermia en sí no tiene por qué dar lugar a abortos ni a anomalías cromosómicas ni afecta a la fertilidad, ya que los espermatozoides que no tengan una morfología adecuada no van a ser capaces de fecundar al ovocito. Nos tenemos que preocupar si la teratozoospermia es severa, es decir: si hay menos de un 4% de formas normales pueden estar indicadas técnicas complementarias.

Me he centrado en hablaros sobre los perjuicios de los disruptores en la fertilidad masculina causantes de abortos, malformaciones genitales y cáncer de testículo, pero estos también afectan a la fertilidad de la mujer: inducen la pubertad precoz y algunos tipos de cáncer, especialmente de tiroides y de mama. Con el tiempo vamos conociendo más efectos nocivos.

Mis conclusiones son que:

- El deterioro de la fertilidad masculina viene dado principalmente por la contaminación medioambiental y, por tanto, presenta grandes variaciones geográficas.

- El momento clave de afectación puede producirse durante el desarrollo del testículo fetal.
- Por influencia de los disruptores estrogénicos procedentes de la cadena alimentaria, una mujer embarazada puede estar traspasando a su feto varón niveles demasiado altos de estrógenos.

El diagnóstico.
La razón por la que no me quedo embarazada

Un mes después, **Isabel** vuelve a la consulta acompañada por Javier, que nada más llegar quiere saber cómo está su seminograma.

—El estudio del semen es normal. Lo que llama la atención es que la edad ovárica es mayor que la esperada. En los análisis vemos que tu hormona antimulleriana es de 0,6 ng/ml, corresponde a unos 42 años y eso hace que tu fertilidad sea menor —le explico a Isabel—. La mayoría de tus ovocitos no separan bien sus cromosomas y esto supone que seguramente solo uno de cada cinco embriones pueda evolucionar correctamente. Si no hacemos nada, las posibilidades que tienes de quedarte embarazada cada mes son aproximadamente de un 4%, y de ahí todavía tenemos que contar un alto porcentaje de aborto. Podemos esperar el tiempo que deseéis, pero yo os aconsejo hacer un ciclo de fecundación in vitro. Por el resultado de tus análisis sabemos que todavía tienes ovocitos aptos, pero en unos meses, cuando la hormona antimulleriana baje a 0,3 ng/ml, las posibilidades son remotas. Debemos estimular los ovarios para conseguir en un ciclo muchos folículos y esperar tener la suerte de que desarrollen tus mejores ovocitos.

—Lo vamos a hacer porque no me queda otro remedio, pero me parece todo muy forzado. Es como ir en contra de la naturaleza. Tengo dos hermanas, Fátima de 32 años y Mireia de 36. Ella tardó dos años en quedarse embarazada y me recomienda esperar para ver si me quedo sin fecundación in vitro— me contesta.

—Tienes razón, pero la naturaleza tenía previsto que las mujeres tuviéramos los hijos antes de los 30 años y con señores con un semen estupendo. Es muy importante que sepáis que durante el tiempo que pasa desde que se desea hasta que se consigue el embarazo puede alterarse mucho la relación con nuestros seres queridos. Tu hermana te quiere, pero no sabe el daño que te pueden hacer sus comentarios. ¿Lo sabe tu familia?

—Mi madre no paraba de decirnos: «Vosotros solo pensáis en viajar y salir con amigos», y me dolía muchísimo. Por eso se lo he dicho a mis padres y a mis hermanas que ahora no paran de darme consejos.

—Es bueno que lo sepa tu entorno más cercano, pero lo mejor es que les pidas silencio. No dejes que te hablen de nada relacionado con tratamientos de fertilidad, ni que te digan lo que debes o no debes hacer, ya me entiendes. También debes evitar, de momento, salir con amigos que tengan bebés o con amigas embarazadas. Es normal incluso que te hayas sentido incómoda con el embarazo de tu hermana. Seguro que solo hablaba de eso y ahora solo habla de su bebé. También te pasará a ti, pero por el momento es mejor estar con amigos sin hijos ni embarazos.

—Doctora, yo estoy tranquilo y sé que lo vamos a conseguir, pero no me gusta ver a Isabel tan nerviosa ¿Qué puedo hacer para ayudarla? —me pregunta Javier.

—Tenéis que estar más unidos que nunca y apoyaros el uno al otro pase lo que pase. Ante esta situación cada uno va a reaccionar según su carácter, igual que lo hacéis ante los otros problemas de la vida. Propongo que os lo toméis como un reto, como un proceso que puede uniros si le ponéis cariño, romanticismo e ironía.

—¿Y qué más puedo hacer para no estar todo el día pensando en esto? —dice Isabel.

—Yo creo que debes estar ocupada, con tu trabajo, aficiones... Procura llenar todo tu tiempo libre. Y dedica solo unos minutos cada día a pensar en esto, en tu objetivo, en cómo te sentirás cuando tengas a tu bebé en brazos. Antes de explicaros en qué consiste la fecundación in vitro quiero que tengáis información seria y actualizada sobre este proceso para que en la próxima visita podamos organizar el ciclo de tratamiento. Por favor, mirad estos links a nuestra página web y venid a una entrevista de biología para saber las técnicas complementarias más adecuadas a vuestro caso. Es importante que evitéis leer en internet textos inadecuados o anticuados. Hay que filtrar la información porque puede haceros daño o desorientaros.

Marta llega con María José y con los informes de las pruebas que le he pedido. La prueba de las trompas y la hormona antimulleriana son normales. En la ecografía se apreció un recuento folicular antral adecuado, pero llama la atención un quiste en el ovario derecho de dos centímetros.

—Doctora ese quiste ya lo tengo desde hace tres o cuatro revisiones anuales y no ha crecido, mi ginecólogo no le ha dado importancia —me cuenta.

—Marta, es posible que sea un quiste endometriósico. Por sí mismo no tiene por qué afectar a tus posibilidades de quedarte embarazada, pero no puedo estar segura. No es grave ni puede degenerar en nada malo y no hay que operarlo. Sin embargo, tenemos que valorar si hacemos una inseminación o una fecundación in vitro. Y yo apuesto por hacer tres ciclos de inseminaciones con semen de donante y, si no tenemos éxito, pasar a FIV.

—Me quedo preocupada, ¿**qué es la endometriosis**?

—Es una enfermedad que consiste en la presencia de tejido endometrial, el que crece dentro del útero para acoger al embrión, en otros sitios. Puede aparecer en diferentes lugares, pero los más frecuentes son los ovarios, las trompas o el interior del abdomen.

—¿Y cómo la he contraído?

—La mujer ya puede nacer con estos implantes o bien pueden producirse por lo que llamamos «menstruación retrógrada», es decir, que cuando el útero se contrae durante la regla para expulsar las capas superficiales del endometrio es posible que fragmentos se vayan por las trompas y aniden en el interior de estas, en los ovarios o en la capa que recubre el interior de abdomen (peritoneo). Como sabes, las hormonas producidas por los ovarios hacen que el endometrio crezca y si no llega un embrión, entonces se descama y es la regla. Bueno, pues ese tejido responde igualmente y cada mes se produce un sangrado. Este sangrado dentro de un ovario produce un quiste de sangre, también los llaman quistes de chocolate porque al abrirlos la sangre acumulada y oxidada lo parece.

—Pero, ¿puede dificultar el embarazo?

—Puede no afectar a la fertilidad, pero estos quistes son grandes o si hay también muchos focos pequeños pueden ir anulando el tejido ovárico sano. El endometrio que anida en el interior de las trompas puede dañar la capa interna y causar adherencias que impidan el transporte de los ovocitos o embriones y también pueden lesionar las células que producen los nutrientes que los mantienen durante los días que están en ellas. Los implantes en el interior del abdomen pueden hacer que las trompas se queden adheridas y por tanto pierdan su movilidad impidiendo captar al ovocito. También pueden segregar sustancias que dañan al óvulo.

—Lo entiendo. Sabiendo esto me parece bien intentar inseminaciones. También me preocupa quien será el donante.

—El donante... después hablaremos de él.

Rocío y Jaime son los más jóvenes y divertidos que veo ese día. Siguen de la mano y cada uno en su estilo: ella se ha arreglado tipo cóctel y él va en chándal. Les digo que las pruebas de Rocío están bien y que estoy contenta porque ya sabemos dónde está el problema y que hoy día hay solución para casi todo.

En el seminograma llama la atención que solo hay 5 millones de espermatozoides por mililitro, que la movilidad es muy baja y que tienen aspecto anormal el 98% de ellos. Jaime reacciona bien, aunque no para de mover las piernas, llego a pensar si tiene un balón entre los pies...

—Mirad, tenemos que repetir el seminograma para comprobar este diagnóstico y tendrás visita con un doctor del equipo de Andrología. Necesitamos saber a qué se debe y si se puede solucionar con algún tratamiento.

—¿Y si no se encuentra la causa o no hay tratamiento no podré tener hijos? —me pregunta Jaime.

Sonriendo le digo que una gran parte de los tratamientos de fecundación in vitro que hacemos es por causa masculina y que en el peor de los casos, eso haremos.

CONSULTA DE ANDROLOGÍA. ESTUDIO DE LA INFERTILIDAD MASCULINA

El Dr. Ferrán García nos describe la visita:

Jaime y Rocío acuden a mi consulta a última hora de un jueves por la tarde. A primera vista, parecen dos adolescentes enamorados, son jóvenes, envidiablemente jóvenes. Jaime es de complexión atlética y calculo que medirá al menos 1,85 m de estatura. Piel morena, ojos caoba y una cuidada barba tan negra como su cabello que pretende, sin conseguirlo, hacerle aparentar más edad de la que su cara aniñada refleja. Viste como si viniera de entrenar con un polo amarillo de manga corta, pantalón de chándal azul marino y zapatillas también azules, todo de la misma marca deportiva. Al estrecharle la mano observo el tatuaje tribal maorí que asciende por su antebrazo y brazo derecho, ocultándose bajo la manga.

Pegada a él, y agarrándole el brazo izquierdo como si tuviera miedo de perderlo, Rocío. Parece salida de un desfile de moda: lleva un vestido entallado sin mangas de color rosa claro, de una marca muy conocida, un doble collar de perlas naturales alrededor de su cuello y pendientes a juego. Su ligero bronceado resalta, más si cabe, el azul cielo de sus ojos y su largo pelo negro azabache le confiere cierto aire exótico.

Tras las presentaciones de rigor nos sentamos frente a frente, Jaime a la izquierda, Rocío a la derecha. Jaime no puede ocultar su nerviosismo y de forma compulsiva empieza a tamborilear los dedos de su mano derecha sobre la superficie de la mesa, hasta que ella toma su mano y la estrecha suavemente.

La Dra. López-Teijón, conocedora de mi afición por el Barça, me había comentado que iba a visitar a un famoso futbolista. Trato de empatizar con él hablándole de la gran temporada del equipo. Si bien, en un primer momento aparenta olvidarse del motivo que le ha traído hasta mi consulta e incluso parece relajarse, de repente, cambia bruscamente el tema de conversación y me pregunta:

—¿Cómo ha salido el segundo seminograma?

—Muy parecido al primero. Hay dos millones más de espermatozoides que en el primero, pero la movilidad y la morfología son muy bajas. Podríamos decir que la probabilidad de conseguir un embarazo de forma natural es la misma en ambos eyaculados. Aunque el embarazo es posible, las probabilidades de que se produzca son más o menos del 1%. Eso quiere decir que si no somos capaces de mejorar de forma significativa la calidad del semen, tendremos que recurrir a técnicas de reproducción asistida.

—El resultado del primer análisis de semen fue un duro golpe para mí. No me lo esperaba, pero hoy ya venía preparado —se lamenta Jaime—. ¿Cómo puede ser que me pase esto a mí? Nunca he fumado, no me gusta el alcohol, llevo toda la vida controlado por médicos, dietistas... ¡No lo entiendo! —comenta resignado.

—Aunque no te sirva de consuelo, ese es el estereotipo que encontramos con más frecuencia. Hombre joven, sano, sin hábitos tóxicos, bueno... No todos son deportistas profesionales como tú, aunque muchos hacen deporte regularmente y, sin embargo, su capacidad reproductiva está disminuida como consecuencia de alteraciones en el semen.

—¿Y a qué puede ser debido?

—Hablando de forma genérica podríamos decir que hay cuatro grandes causas. En primer lugar, estarían las causas congénitas. El potencial fértil de cada hombre se empieza a establecer durante el desarrollo embrionario del testículo. Imaginad que el testículo es una fábrica, pues en el momento del nacimiento cada hombre tiene un número determinado de máquinas, unos más, otros menos y algunos ninguna, dependiendo de factores genéticos, hormonales, ambientales, etc. que alteran el desarrollo embrionario del testículo. Luego estarían las causas adquiridas: a lo largo de la vida podemos tener enfermedades, infecciones, traumatismos y varices testiculares, abuso de sustancias tóxicas, fármacos, contaminación ambiental, etc., que pueden disminuir el potencial fértil que tengamos de nacimiento. En tercer lugar, tendríamos las causas genéticas, que representan por lo menos un 15% de los casos. Y finalmente estarían las causas de origen desconocido, que son casi una tercera parte del total.

Después de enumerarle las causas de esterilidad, le interrogo sobre las enfermedades que ha padecido y que pudieran estar relacionadas con la disminución de su potencial fértil, aunque sin la menor esperanza de encontrar nada, considerando el estricto control médico al que debe haber estado sometido como deportista de élite que es. Como era previsible, a cada una de mis preguntas sobre el posible padecimiento de una enfermedad, Jaime responde con un no.

—Nunca he tenido nada —asegura Jaime. Ni siquiera una lesión por la que debiera pasar por el quirófano —afirma esbozando una sonrisa.

Cuando termino el interrogatorio sobre sus antecedentes médico-quirúrgicos, le pido que me acompañe para que pueda realizarle una exploración física. Mientras atravesamos los apenas cinco metros de pasillo que separan la consulta de la sala de exploración, me pregunta:

—Doctor, ¿esto se lo hace a todos los pacientes?

—Por supuesto —le respondo—, la exploración es una parte importante de la primera visita andrológica que muchas veces nos proporciona información que nos ayuda a determinar la causa o causas de la esterilidad. Además, no solo se trata de la esterilidad, también podemos encontrar patologías que afecten a la salud del paciente como un varicocele, que son varices en el testículo, quistes o tumores, entre otras patologías. Por ejemplo, el cáncer de testículo es hasta 20 veces más frecuente en hombres estériles con seminogramas alterados.

—¡No me asuste! —exclama.

—No es mi intención. No te preocupes, ya verás como todo estará bien. No ves que, si tuvieras algo, con todos los controles que os hacen, ya te lo habrían diagnosticado —le respondo para tranquilizarle.

—Tiene razón, doctor.

Finalizada la exploración, volvemos a la consulta. Al entrar Jaime cruza una mirada de complicidad con Rocío, que permanece sentada, y ambos sonríen.

—Bien, de la exploración la única cosa destacable es que el tamaño testicular es más pequeño de lo normal, aproximadamente la mitad de lo que debería ser.

—¿Y eso que significa? —pregunta Rocío.

—¿Cuál es el problema que tenemos en el semen? —respondo con una pregunta.

—Que tengo pocos espermatozoides que corran y además la mayoría están malformados, se apresura a aclarar Jaime.

—Correcto. Como hemos dicho antes, el testículo es una fábrica, si el tamaño de la fábrica es más pequeño, dentro caben menos máquinas de hacer espermatozoides. Por eso se producen menos espermatozoides, normalmente cuando esto pasa la movilidad también es baja y la morfología está alterada.

—¿Y eso tiene tratamiento?

—No, desgraciadamente no tenemos un tratamiento para hacer que aparezcan máquinas donde no las hay. Considerando que no hay ninguna causa conocida, es muy posible que el problema sea congénito. Como decíamos al principio, las probabilidades de conseguir un embarazo por la vía natural están muy disminuidas. Es posible, ya que mientras haya espermatozoides existe esta posibilidad, sin embargo es poco probable que suceda. Si queremos aumentar las probabilidades tendremos que recurrir a la fecundación in vitro.

—Sí, eso ya nos lo había dicho la doctora —interviene Rocío.

—Pero antes de hacer la fecundación in vitro es necesario completar el estudio para descartar que los espermatozoides no tengan anomalías genéticas —les preciso mientras tomo un bolígrafo y dibujo en un papel en blanco mientras les explico—. Imaginad que el espermatozoide es un vehículo, que sirve para transportar la carga genética del hombre, es decir, los cromosomas, hasta el óvulo. Hemos dicho que el problema que tenemos es que hay pocos vehículos que corran y que por eso hay pocas probabilidades de embarazo. Bueno, pues eso deja de ser un problema porque nosotros les ponemos la grúa para llevarlos hasta el óvulo.

—¿La grúa? —pregunta Jaime sonriendo.

—La grúa es la microinyección espermática o ICSI.

Vuelvo a tomar el bolígrafo para reforzar mi explicación con un dibujo: «Con una micropipeta tomamos un espermatozoide, lo transportamos y lo introducimos en el óvulo. Además, antes vamos a seleccionar los espermatozoides que tienen una forma normal. Para ello utilizamos una técnica que se llama IMSI, que es una técnica de magnificación de la imagen. Es como si estuviéramos viendo el espermatozoide en la pantalla del ordenador e hiciéramos un zoom que nos permitiera verlo hasta 20 veces más grande de cómo lo estábamos observando. Eso nos permite seleccionar aquellos que presentan mejor morfología.

—¿Se entiende hasta aquí? —pregunto.

—Sí —responden ambos al unísono.

—Por tanto el problema de que tengas pocos que corran y malformados deja de ser un problema gracias a la aplicación de estas técnicas.

—Eso quiere decir que puede haber otro problema —añade Jaime.

—En efecto, el problema puede estar en lo que transporta el espermatozoide, en el número de cromosomas. Veréis, dependiendo del contenido cromosómico, en el cuerpo humano podemos distinguir dos tipos de células, las somáticas, que tienen 46 cromosomas, y las reproductivas, óvulo y espermatozoide, que tienen 23, porque al juntarse vuelven a dar una célula con 46, que será el embrión. Todos los hombres, incluidos los fértiles, producimos un porcentaje de espermatozoides que no tienen el número normal de cromosomas. Pero ese porcentaje es muy pequeño, se calcula que de un 6%, por lo que normalmente no tiene consecuencias en la reproducción. Sin embargo, algunos hombres con problemas de esterilidad producen un porcentaje muy elevado de espermatozoides con un número alterado de cromosomas. Esto sí tendrá consecuencias reproductivas, en forma de no embarazo, de abortos o incrementando el riesgo de tener un hijo con una alteración cromosómica.

—¿Entonces, yo puedo tener ese problema?

—Es poco probable, pero mejor descartarlo antes de hacer la FIV.

—¿Y qué tenemos que hacer? —dice Jaime.

—Hemos dicho que los espermatozoides tienen 23 cromosomas. Sin embargo, las máquinas de hacer espermatozoides tienen 46. Lo que quiere decir que en la línea de producción se produce una reducción de la carga genética a la mitad. Eso es gracias a un proceso que se denomina meiosis y que es un tipo de división de las células. La meiosis puede estar alterada, especialmente en aquellos hombres que fabrican menos espermatozoides. Cuando esto sucede se producen más espermatozoides cromosómicamente alterados que normales.

—¿Y cómo se estudia la meiosis? —pregunta Jaime.

—Hay una forma directa que consiste en tomar del testículo las células precursoras de los espermatozoides y analizarlas cuando se está produciendo la meiosis. En este momento no me planteo este estudio, ya que, como las células están dentro del testículo, es necesaria hacer una pequeña intervención que se denomina biopsia de testículo. Se hace con anestesia local y de forma ambulatoria y dura 20 minutos. Mediante una incisión de 1 cm en la piel del escroto, llegamos hasta el testículo y tomamos una muestra del mismo del tamaño de una lenteja que contendrá las células que queremos estudiar, luego damos un par de puntos y para casa.

—Yo si usted lo cree necesario estoy dispuesto a hacer la biopsia.

—No, en este momento no lo creo necesario. Utilizaremos una forma indirecta de estudiar la meiosis, en lugar de estudiar las células precursoras estudiamos el producto final, que es el espermatozoide. Para ello utilizaremos una técnica que se llama FISH, que lo que permite es estudiar el producto final de la meiosis, es decir, los espermatozoides. Presenta la ventaja de poder llevarse a cabo sobre el eyaculado, aunque tiene el inconveniente de que no podemos estudiar los 23 cromosomas. Por eso, habitualmente se evalúan los cinco que con más frecuencia padecen anomalías: el X, Y, 13, 18 y el 21. FISH es un acrónimo que en inglés significa «*Fluorescence in situ hybridization*». Para que lo entendáis, es como si tuviéramos un imán específico para cada uno de los 23 cromosomas, y a este imán le ponemos una sustancia fluorescente, por ejemplo amarillo. El imán va a buscar su cromosoma y lo pinta de amarillo, normalmente solo tendríamos que ver un punto amarillo en cada cabeza del espermatozoide, ya que solo debe haber un cromosoma para cada uno de los 23. Si vemos dos puntos amarillos, significa que hay dos cromosomas iguales cuando debería haber solo uno. Lo que hacemos es comparar el porcentaje de espermatozoides que presentan anomalías en los cromosomas estudiados con el que tienen los hombres fértiles. Si existe un incremento, y además ese incremento es estadísticamente significativo, la prueba se da como alterada.

—¿Usted cree que puede salir alterada? —pregunta Jaime.

—Como poder ser, puede; pero ya te he dicho que creo que hay pocas probabilidades de que así sea. Además, aprovechando que tienes que dar una muestra de semen, completaremos el estudio con la prueba de fragmentación del ADN de los espermatozoides.

—¿Y eso que es? —se sorprende Jaime.

—Las cadenas de ADN que forman los cromosomas pueden sufrir roturas generalmente debidas a lo que se denomina estrés oxidativo, que puede estar originado por diversas causas. En teoría, un espermatozoide que tenga el ADN fragmentado y fecunde un ovocito dará lugar a un embrión no viable, salvo que el ovocito repare la fragmentación del ADN. Como la capacidad de reparación es mayor cuanto más joven es la mujer, y Rocío es muy joven, no creo que la fragmentación, caso de que estuviera alterada, vaya a ser un obstáculo para conseguir el embarazo. ¿Tenéis alguna pregunta?

—¿Cuándo podemos hacer las pruebas? —pregunta esta vez Rocío.

—Pues a la que consiga Jaime estar tres días de abstinencia.

Ambos estallan en una carcajada.

Les doy la petición de las pruebas y nos despedimos. Les confirmo que cuando estén los resultados les llamaré por teléfono para comunicárselo. Tres semanas más tarde llegan los resultados del FISH y la fragmentación, ambos han salido normales. Llamo al teléfono de Jaime, pero no contesta; así que llamo a Rocío.

—¿Rocío? Hola, buenos días. Soy el Dr. García del Institut Marquès y os llamaba para daros el resultado.

—¿Ha salido todo bien, doctor?, —pregunta Rocío.

—Tranquila. Las dos pruebas que le realizamos a Jaime han resultado normales.

—¡Qué alegría doctor! ¿Y ahora qué tenemos que hacer?

—Pues ahora pides hora con la doctora para que ella te indique los pasos a seguir para poder hacer la FIV.

—¡Ya verás cómo te quedas a la primera!

—Gracias doctor, que Dios le oiga. ¡Y que pase un buen día!

—Igualmente para ti. Recuerdos a Jaime.

9

Donantes de ovocitos y de semen

Te invito a pensar por un momento qué valoras más en una persona, y qué valoras más de ti mismo. Escríbelo por favor antes de seguir leyendo. Cuando hayas acabado, verás que los rasgos que has escrito pueden englobarse en tres opciones:

- **carácter** (espíritu positivo, predisposición a ayudar a los demás, simpatía, amabilidad, fortaleza, espíritu de lucha, implicación...),
- **capacidad intelectual** (inteligencia, rapidez mental...)
- y **aspecto físico**, (belleza, estilo, elegancia...).

Imagina ahora que necesitas ovocitos o semen de un donante para tener hijos. ¿Cómo querrías que fuera esa persona? ¿Contestarías lo mismo que antes?

Cuando se necesitan ovocitos de donante o semen de banco, ¿cómo se hace la asignación? **¿Qué valoran más nuestros pacientes?** Nosotros hemos analizado una encuesta que hemos hecho a cientos de pacientes de nuestro centro. Les pedimos que pusieran por orden de importancia los aspectos que más valoran de su donante de ovocitos o de semen. Pues bien, resulta que lo que más valoran los pacientes en su donante es el aspecto físico –en el 51% de los casos– seguido del carácter –en el 31%– y del nivel cultural –en el 18% de los casos–.

Las respuestas no varían según las nacionalidades de los pacientes ni tampoco si se refieren a donantes de ovocitos o de semen. Responden igual los hombres que las mujeres y tampoco hay diferencias significativas en las respuestas de mujeres sin pareja masculina que se hacen una inseminación o recurren a una fecundación in vitro con semen de banco. ¿Te sorprende? ¿Qué opinas?

Yo entiendo que por encima de todo dan importancia al aspecto físico porque es lo que la mayoría de la gente cree que se hereda en mayor medida. Vamos a ver si es así realmente.

¿Qué rasgos heredamos y qué rasgos adquirimos después de nacer?

Es verdad que el aspecto físico de una persona tiene un componente hereditario muy importante, aunque también es cierto que la genética es caprichosa y se pueden dar infinidad de combinaciones. La altura, el color de pelo y ojos, los rasgos faciales... dependen de la herencia genética, pero al parecer también del porcentaje de simetría de ambos lados de la cara que puede hacer que una persona sea más guapa o más fea.

El aspecto físico también se ve influido por el entorno que tiene y que ha tenido cada niño. La forma de moverse, de mirar, de reír, es decir, los gestos se aprenden, el niño copia a las personas de su entorno. Además, es muy importante la actitud y esta depende de la personalidad. La belleza y el atractivo de una persona es mucho más que unas medidas y una cara. Hay personas que saben vestirse, pintarse, llevar un buen corte de pelo, mirar a los ojos de los demás y que van por la vida sonriendo, con los hombros hacia atrás y moviéndose con gracia. Dice Victor Kuppers que algunas personas son bombillas encendidas y otras van siempre fundidas.

 Mira estas imágenes de la fotógrafa americana Gracie Hagen: reflejan cómo un mismo cuerpo puede parecer atractivo o no según la actitud vital de esa persona.
http://www.graciehagen.com/Illusions-of-the-body/

Capacidad intelectual. Hasta hace poco se creía que el 50% de la inteligencia se heredaba, según estudios sobre coeficiente intelectual hechos en niños. Con el avance de los análisis de desarrollo genético (que estudian el efecto de los genes a lo largo de toda la vida de una persona), se ha visto que la contribución genética para la inteligencia se va manifestando a lo largo de los años y alcanza un 80 % en la edad adulta.

Los estudios en gemelos idénticos que crecieron en distintas familias así lo aprecian, muestran un alto grado de concordancia intelectual entre los gemelos, pese a la diferencia de ambientes en los que hayan vivido.

Carácter, inteligencia emocional y social, es decir, cómo se siente, cómo actúa, cómo piensa y cómo se relaciona una persona. Siempre ha habido debate sobre qué porcentaje de un determinado rasgo del carácter es innato y cuál adquirido. Actualmente, la tendencia es a creer que hay unos rasgos que vienen muy determinados genéticamente, otros que están determinados por el entorno y otros para los que hay una predisposición biológica, pero que se manifestarán o no según el ambiente familiar, la cultura del grupo, la educación y las circunstancias.

Los cinco rasgos de la personalidad que se consideran innatos son:

- El grado de introversión – extroversión.
- El grado de estabilidad emocional. La tendencia al mal genio, depresión, ansiedad, ira... y en el polo opuesto, el control de las emociones.
- El grado de interés por experiencias nuevas, la curiosidad, la imaginación, la creatividad.
- El grado de interés por los demás, de altruismo, de amabilidad, de empatía.
- El grado de autodisciplina, de responsabilidad, la capacidad para seguir las normas, la organización, la meticulosidad.

Los gemelos tienen un carácter más parecido que los hermanos y los gemelos idénticos mucho más, aunque se hayan criado en sitios distintos. Pero ya desde el momento de nacer los gemelos idénticos presentan diferencias de carácter, ya que algunas experiencias individuales al parecer se adquieren durante el embarazo.

Visto todo esto, ¿cómo asignamos a nuestros donantes? En cuanto al aspecto físico, los conocemos perfectamente y estudiamos con detalle sus rasgos según los de los pacientes que van a recibir esos gametos. En cuanto al nivel intelectual, realizamos campañas de información exclusivamente en universidades, no porque sea necesario (si viene una amiga no universitaria también la aceptamos), sino porque sabemos que allí hay más candidatos/as, ya que los/as chicos/as que donan suelen tener un nivel educativo alto (en ambientes con menos estudios la donación no está bien aceptada).

Por último, en cuanto al carácter, nuestros psicólogos entrevistan a los y las donantes y les hacen tests para descartar posibles patologías. No podemos saber qué carácter tienen, si una donante es sociable o tímida o muchas otras cosas. Pero sí conocemos sus hábitos de vida: sabemos que todas ellas tienen rasgos muy marcados de compromiso, de equilibrio emocional y de gran valentía. ¡Y al parecer esos rasgos son hereditarios!

Para nosotros, asignar un/a donante es un acto de gran importancia y lo vivimos con un sentimiento de responsabilidad y de honor por la confianza que los pacientes han depositado en nosotros.

¿Por qué hay chicas que donan óvulos?

Llevo muchos años ayudando a tener hijos a mujeres que solo pueden ser madres con óvulos de donante, escuchándolas a ellas y a las chicas que quieren donar. Cuando preguntamos las razones por las que quieren hacer un tratamiento para ser donantes suelen responder que:

- Lo ha hecho una amiga y ha sido una buena experiencia de ayuda a los demás.
- Han visto publicidad en la universidad y les interesa la compensación económica. Cuando les preguntas qué van a hacer con el dinero (unos 900 euros), la mayoría contestan que pagar la matrícula del curso porque supone un problema para los padres. Creo que también es una forma de ayudar, en este caso a su familia.
- Tienen un familiar con problemas de esterilidad y están concienciadas que a lo mejor ellas también lo necesitarán en el futuro.
- Han tenido que abortar y quieren ayudar a que nazca el niño que ellas no pudieron tener. En estos casos no paran de preguntar cómo va el ciclo de la receptora y si acaba en embarazo les reconforta.

Diferencias legales entre los países en cuanto a la donación de ovocitos y semen

La consideración social de la esterilidad está ligada a la tradición cultural y religiosa de cada país y viene también condicionada por el marco legislativo. En un congreso de la Sociedad Europea de Fertilidad presentamos un estudio realizado en pacientes de 10 países de Europa en que contestaban a preguntas sobre cómo está

considerada socialmente la esterilidad en su país y a quien le han
contado su problema: amigos, familia, compañeros de trabajo...

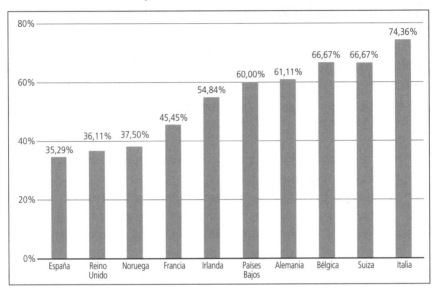

**¿Crees que en tu país los tratamientos
de reproducción aún son un tabú?**

Como veis en este cuadro de resultados, los italianos son lo
que peor están: el 74% de las mujeres considera que en su país la
esterilidad es un tabú y la viven en un entorno de rechazo social.
Siguiendo esta línea, cada país tiene una legislación diferente.
Hay países en los que está prohibida la donación, mientras que en
otros los donantes no pueden ser anónimos y por tanto apenas
hay. Y en otros no está permitida la compensación económica.
Esto provoca sufrimiento y que muchas personas se queden sin
tener hijos, especialmente aquellas con pocos recursos económicos. También induce la necesidad de viajar a otros países para poder hacer el tratamiento.

Según la OMS, la esterilidad es una enfermedad. No es un ca-
pricho. Mi opinión personal es que detrás de todas estas prohibi-
ciones hay una razón económica. Los gobiernos prefieren decir
que no lo contemplan éticamente que tener que cubrir los gastos
de estos tratamientos. Es difícil entender, por ejemplo que Fran-

cia, el país de «la liberté», prohíba la inseminación con semen de banco a una mujer que no esté casada legalmente. Creo que sería más honrado que lo permitieran aunque no se cubra con fondos públicos.

Cataluña es la zona del mundo con mayor índice de donaciones de todo tipo: de sangre, médula ósea, córneas, riñones... , y también de donantes de semen y de óvulos. Me resulta muy difícil entender la diferente consideración social que hay cuando una persona dona cualquier tejido y cuando lo que dona son ovocitos.

Quiero compartir con vosotros esta carta que nos llegó de una paciente embarazada gracias a una donante de óvulos:

«Estimada donante, gracias a tu ayuda, nuestro sueño se ha hecho realidad y hemos sido bendecidos con Lorena, una niña más que adorable. Después de muchos años de dolor y sufrimiento, todos nuestros deseos y sueños se han hecho realidad con la más hermosa niña que podríamos haber deseado. Nunca podremos agradecerte lo suficiente que hayas compartido con nosotros el milagro de la vida, y te aseguro que para nosotros vas a ser siempre un tesoro. Gracias desde el fondo de nuestros corazones, eres una persona muy especial que ha completado nuestra existencia. Gracias a tu esfuerzo, yo he podido darle la vida a nuestra pequeña Lorena».

10

La fecundacion in vitro
y tratamientos
complementarios

Cuando la solución a tu problema de esterilidad es la FIV, es muy importante saber cómo va a realizarse para tener las máximas probabilidades de éxito. Actualmente tenemos a nuestra disposición muchas técnicas complementarias que pueden aumentar incluso hasta el doble el porcentaje de embarazo en un ciclo de tratamiento.

También resulta fundamental conocer cuáles son las causas de esterilidad, porque esto será lo que indicará la conveniencia de una u otra técnica.

Tu FIV sigue una serie de procesos, el primero es:

La recuperacion de ovocitos

La recuperación de óvulos tiene lugar en un quirófano. Se realiza de forma ambulatoria, no requiere ingreso en clínica y, en la mayoría de casos, supone unas molestias mínimas.

Mediante una sedación general, se procede a la aspiración de los folículos por vía vaginal con control ecográfico. Este proceso es breve: dura aproximadamente entre 8 a 10 minutos y al despertarte ya te informan de cuántos ovocitos han salido. En ese momento se sabe el número, pero no todos estarán maduros.

Calculamos que los folículos que tienen más de 14 mm de diámetro el día que se finaliza la fase de estimulación pueden dar lugar a un óvulo maduro. Si no es así, el proceso de maduración se intenta completar en el laboratorio. Poco tiempo después ya estás en condiciones de abandonar la clínica, pero ese día debes hacer reposo.

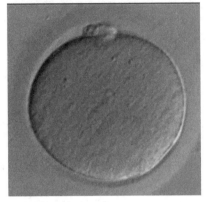

Ovocito

Esto es un ovocito. Óvulo y ovocito es lo mismo. Se asemejan a un huevo de gallina (¡en el tamaño no!). Llegan al laboratorio pocos minutos después de recuperarse.

El laboratorio de fecundación in vitro

El laboratorio de FIV es un componente clave para el éxito de un programa de reproducción asistida. Tanto la localización, como el diseño del laboratorio, el equipamiento y los medios de cultivo son de vital importancia para los estrictos requerimientos de los embriones cultivados in vitro. Un laboratorio de fecundación in vitro debería ser como un útero gigante.

Te pido que imagines cómo es un útero por dentro... ¿Cuánta luz tiene? Pues casi ninguna, por tanto el laboratorio está a oscuras. ¿Cómo huele? No hay olores. El control del ambiente supone que los biólogos no usan cosméticos ni colonia. Por suerte pueden usar desodorante, pero sin alcohol ni aroma. ¿A qué temperatura está? A 37 grados centígrados. Hay un sistema de control constante de temperatura de las incubadoras y, por ejemplo, las superficies donde se apoyan las placas de cultivo que contienen los embriones están calefactadas. ¿Qué hay dentro del útero? La capa interna se llama endometrio y a lo largo del ciclo menstrual va cambiando preparando su superficie y produciendo unas secreciones para que pueda anidar un embrión. Esto se simula actualmente de una forma fantástica con los medios de cultivo, contienen las sustancias que produce el endometrio y cada día hay que ponerles unos cultivos distintos porque sus requerimientos varían. ¿Qué no hay dentro del útero? No hay contaminación de ningún tipo. ¡Esto da muchísimo trabajo! Tener un atmósfera estéril supone contar con muchísima tecnología y llevar a cabo muchos esfuerzos. Pero resulta imprescindible evitar que entren contaminantes tipo gérmenes además de nuestros «enemigos especiales»: los compuestos volátiles orgánicos. Son sustancias químicas que se desprenden de pinturas, disolventes, lacas, cosméticos... y se quedan en la atmósfera en forma de vapores. Tienen afinidad por depositarse en medios grasos. Los medios de cultivo contienen aceites y estos compuestos son embriotóxicos.

Para entrar te pones un uniforme limpio cada vez, un gorro, calzado, te quitas todo tipo de complementos tipo reloj y vienes sin maquillar. Cuando abres la puerta te sorprende la presión positiva, notas como un poco de viento en contra y sirve para evitar que entre aire de fuera. El suelo lo hemos puesto con un pavimento capaz de descargar la electricidad estática y en el primer tramo se te pegan los pies al suelo porque hay alfombras adherentes de partículas. El techo contiene filtros absolutos y de carbón activo para mantener la pureza del aire.

Las cabinas de trabajo tienen una concentración de CO_2 y de humedad muy superior a lo habitual: les gusta así a los embriones. Y sus mesas son hidráulicas. Así, al apoyarse para trabajar no se transmiten vibraciones a los embriones. ¡Ah!, dentro del útero tampoco suenan móviles. Así dentro del laboratorio no tenemos teléfonos móviles para evitar posibles daños derivados de la radiofrecuencia.

Polarizador

Los ovocitos llegan al laboratorio en tubos estériles e inmersos en el líquido folicular. Se localizan mediante el microscopio, se limpian y se clasifican según su estadio de madurez. A continuación se guardan en el incubador con medio de cultivo y a 37°C hasta el momento de ser inseminados.

La calidad de los ovocitos es una característica intrínseca a cada mujer.

Si en este momento adaptamos al microscopio un sistema óptico especial llamado «polaraide» porque es un polarizador de la luz, podremos ver los ovocitos muchísimo mejor.

La capa externa del ovocito se llama membrana pellucida y cuando tiene alta birrefringencia es signo de calidad. La zona coloreada que tiene dentro es el huso meiótico, es decir, el sistema que se crea dentro del núcleo para separar los cromosomas, en esto que vemos aquí está el material genético. Tras la ovulación se completan las fases de separación del código genético. Ya sabéis que tenemos 46 cromosomas y el ovocito debe reducirlos a 23, a la mitad, para que se junten con los otros 23 que aporta el espermatozoide y dar lugar a un nuevo ser.

Estas imágenes nos permiten ver mejor el estadio de madurez en que está. Esto es importarte para decirnos el momento exacto en que debemos hacer la ICSI. Además, al tener localizado el núcleo, se evitan pinchazos accidentales durante el proceso de introducción del espermatozoide en el ovocito, evitamos así el riesgo de dañar el código genético.

El polaraide está especialmente indicado en «ovocitos de alto valor», llamamos así a los de pacientes que desarrollan pocos.

El encuento entre los ovocitos y los espermatozoides

La fecundación de los óvulos puede realizarse mediante dos técnicas: la fecundación in vitro convencional o la microinyección espermática o ICSI. En la **fecundación in vitro convencional** se insemina cada ovocito con 100.000 espermatozoides móviles, uno de ellos, al azar, penetra la membrana del óvulo y se produce una reacción que impide que entren más. Se ponen en medio de cultivo y se incuban a 37°C.

La **microinyección espermática o ICSI** consiste en introducir un solo espermatozoide dentro del citoplasma del ovocito:

http://institutomarques.com/reproduccion-
asistida/tratamientos/proceso-de-icsi/

Se hace ICSI cuando la cantidad de espermatozoides móviles es baja, pero si estamos en el primer ciclo de FIV, y especialmente si se trata de una esterilidad de origen desconocido, conviene hacer ICSI al menos en una parte de los ovocitos para intentar asegurar que haya fecundación y evitar así fallos.

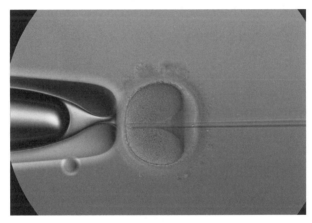

ICSI

Un día después: la fecundación

Los ovocitos inseminados se mantienen en el incubador y pasadas unas 17 a 20 horas ya se puede observar si se ha producido fecundación. En caso afirmativo se aprecian dentro del ovocito dos esferas: los dos pronúcleos correspondientes a los códigos genéticos femenino y masculino.

El primer ciclo de FIV es también diagnóstico y permite observar la fertilidad de cada pareja. Nos podemos encontrar con tasas de fecundación bajas o incluso un fallo total en la fecundación. Deben fecundarse, como media, el 75% de los ovocitos maduros. Hay casos en que no se produce fecundación o esta es muy baja bien porque la membrana del ovocito lo dificulte o bien porque los espermatozoides tengan alteradas en su cabeza las sustancias que perforan esta membrana.

¿Podemos hacer algo para conseguir que se fecunden los máximos posibles? Sí, ¡elegir los mejores espermatozoides! En la FIV con ICSI los espermatozoides se seleccionan con un microscopio de 400 aumentos. Pero hay una técnica llamada **IMSI** que permite verlos a 16.000 aumentos.

http://institutomarques.com/
reproduccion-asistida/tecnologia-avanzada/
imsi/

Consideramos que es normal tener solo un 4% de espermatozoides con aspecto normal, la gran mayoría tiene características patológicas como doble cola, cabeza redonda, vacuolas, etc., y ahora sabemos que los más bonitos son los que tienen más posibilidades de llevar bien la carga genética y, por tanto, presentan mayor potencial de fecundación y de dar lugar a embriones evolutivos. Es un proceso largo porque si ya con el microscopio convencional a los biólogos solo les parecen bien un pequeño tanto por ciento, imaginad cuando los ven así de bien... Se eligen uno a uno los mejores, tantos como ovocitos maduros tengamos.

El IMSI está indicado en varones con teratozoospermia, es decir, aquellos con menos del 4% de espermatozoides de morfología normal, en pacientes con alteraciones en la fragmentación del DNA y en casos difíciles por esterilidad de larga evolución o fracasos en ciclos previos. En estos casos aumenta considerablemente las tasas de éxito.

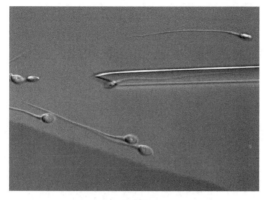

IMSI

Dos días después: primeros embriones

Los ovocitos fecundados inician entonces las primeras divisiones celulares. A partir de aquí, cada 12-15 horas veremos cómo aumenta el número de células.

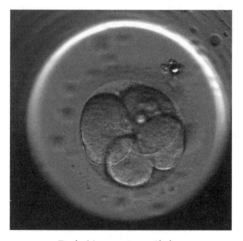

Embrión cuatro células

Cada embrión tiene sus propias características y en este momento ya puede estar dividido en 2, 3, 4 o 5 células y cada una tiene su propio núcleo. Dentro de un mismo ciclo cada embrión lleva su ritmo.

Tres días después: desarrollo de embriones

Al día siguiente, los embriones tienen que haber duplicado el número de células que tenían en el segundo día, habitualmente presentan unas 8 células.

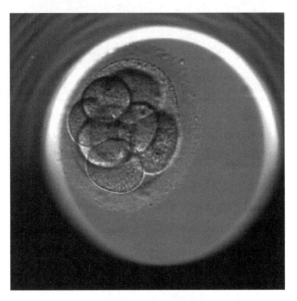

Embrión ocho células

Cuatro días después: mórula

Cuando llegan a ser unas 16 se juntan, compactan formando una estructura que llamamos mórula porque se parece a una mora. Las células del centro de la mórula forman la masa celular interna y darán lugar a los tejidos del embrión, las de la periferia formarán la placenta.

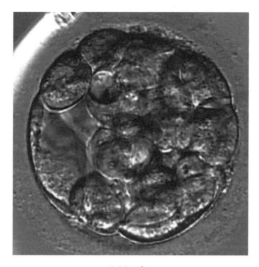

Mórula

Cinco días después: blastocisto

En este momento entra líquido y se forma una cavidad, el blasto-cele, que va aumentando de tamaño y desplaza las células hacia un lado. En esta etapa el embrión se llama blastocisto.

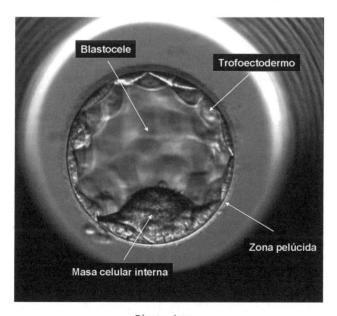

Blastocisto

Un blastocisto es una masa de células que presenta una cavidad central llena de líquido llamada blastocele y está rodeada por dos capas celulares diferentes. La externa (trofoectodermo) es la que dará lugar a la placenta y la interna, la que dará lugar al embrión.

El contenido celular sigue multiplicándose y el blastocisto se expande hasta romper la membrana externa: es el proceso de eclosión, el contenido celular sale y se implanta en el útero materno.

Cultivo largo y transferencia en estado de blastocisto

Transferir embriones en estadio de blastocisto permite elegir los mejores embriones y mejora la sincronía entre el estadio embrionario y el ambiente uterino, lo cual aumenta las tasas de implantación.

Es la técnica adecuada para aquellas pacientes que desean transferir un único embrión para evitar gestaciones múltiples o para pacientes que han realizado varios tratamientos y no han conseguido embarazo.

Si las condiciones del laboratorio son óptimas y se utilizan los medios de cultivos adecuados, el 60% de los embriones van a llegar a blastocisto.

En un tratamiento de FIV, por ejemplo de una chica de 35 años en que se hayan recuperado 10 ovocitos y 8 sean maduros, es muy posible que se fecunden 7 y que a los tres días se hayan dividido correctamente 6 embriones. Podemos hacer la transferencia ese día pongamos de 2 embriones o bien dejarlos llegar a blastocisto, probablemente llegarán 2 o 3, pero ya hemos evitado transferir aquellos que se iban a bloquear. De esta forma, aumentan las probabilidades de transferir los mejores.

Cada día los biólogos sacan los embriones para observarlos al microscopio. En la actualidad hay unas incubadoras llamadas «embryoscope» que llevan una cámara que continuamente captura imágenes del desarrollo embrionario... ¡Hace una película del inicio de la vida! En este vídeo del Embryoscope podéis observar el desarrollo de un embrión humano desde la fecundación del óvulo hasta que pasan cinco días con una de las canciones que les ponemos en las incubadoras.

http://institutomarques.com/reproduccion-asistida/musica-y-fecundacion/

Esta nueva tecnología aumenta las tasas de embarazo gracias a dos aspectos. Por una parte, se evita la extracción de los embriones del incubador para llevarlos al microscopio cada día para su observación, con los cambios de temperatura, luz, etc, que supone.

Por otra parte, permite una mejor elección de los embriones con mayor potencial de implantación y así transferir a la madre precisamente estos. Vemos cómo ha sido el ritmo de división celular, cómo se estructuran las células y cómo cambian en el tiempo. Por ejemplo, a un embrión que está en cuatro células 40 horas tras la fecundación in vitro le pones la máxima puntuación en cuanto a divisiones celulares y resulta que a través del vídeo del Embryoscope ves que un ratito después del examen, de repente una célula se fusiona con otra, ¡la absorbe! y se queda en tres células. Si no hubieras visto esto, podría ocurrir que al día siguiente, a la hora del examen, estuviera en ocho células, volviera a sacar sobresaliente y fuera elegido como uno de los mejores del grupo para ser transferido.

Es increíble como un embrión puede cambiar en minutos sus características. Como ejemplo, si queremos elegir al mejor alumno de una clase, es mejor preguntarle al profesor, que los conoce de todo el curso, que mirar una sola imagen.

Este es solo uno de los muchos ejemplos que puedo poneros, pero sabemos que los embriones que no siguen las pautas adecuadas tienen menos posibilidades de desarrollarse porque se asocian a alteraciones en sus cromosomas y probablemente a otros aspectos negativos que todavía no conocemos, pero que estamos intentando descubrir.

Ya sabéis que es alucinante que no haya dos personas físicamente iguales a excepción de los gemelos idénticos (se producen porque un embrión se divide). Pero, ¿sabíais que no hay dos embriones iguales? ¿Que desde el mismo instante de la fecundación todos hemos tenido nuestras características exclusivas que ya nos han hecho únicos desde ese momento? Cada embrión, cada feto, cada niño, cada persona es un milagro irrepetible de la naturaleza. El número de combinaciones genéticas posibles es infinito y la probabilidad de que se repita es prácticamente imposible. El genoma humano contiene 3.200 millones de nucleótidos, que son las subunidades que forman el ADN y que se combinan de forma diferente en cada persona.

El Embryoscope está indicado en todos los casos pero especialmente cuando los embriones van a estar más días en laboratorio, es decir, se van a transferir a la madre 5 o 6 días tras la fecundación por hacer análisis genético de los cromosomas o por llevarlos a estadio de blastocisto, lo que llamamos cultivo largo. A cada embrión se le pone nota cada día como en el colegio, la máxima un 10 o, según otras clasificaciones, la mejor es tipo A.

Cuando os digan la nota de vuestros embriones quiero que sepáis que se puntúa en base a los siguientes aspectos. Depende de que:

- El número de células sea el adecuado a ese día de desarrollo.
- Las células sean de aspecto muy similar entre sí.
- No presenten fragmentos entre las células (impurezas procedentes de sus procesos de división).
- Y de que cada célula tenga solo un núcleo.

Así, un embrión puede tener nota baja por tener entre sus células muchas impurezas, son trozos de membranas celulares, deshechos de sus procesos de división. Estos fragmentos dificultan la compactación entre las células, es decir, impiden que se unan entre sí para formar todas las estructuras del embrión, dificultan su desarrollo, pueden hacer que se bloquee.

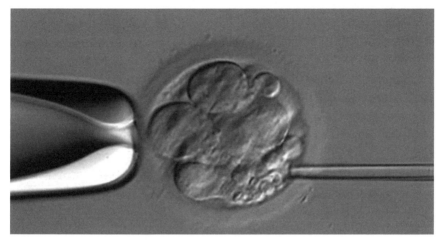

Maquillaje embrionario

En estos casos intentamos extraer los máximos posibles y así mejorar su potencial. Esta técnica se llama «maquillaje» porque cambia el aspecto del embrión.

 http://institutomarques.com/reproduccion-asistida/tecnologia-avanzada/tecnicas-de-micromanipulacion/maquillaje-embrionario/

Otra forma de mejorar el potencial del embrión es la «eclosion asistida o assited hatching».

 http://institutomarques.com/reproduccion-asistida/tecnologia-avanzada/tecnicas-de-micromanipulacion/la-eclosion-asistida/

Os explico en qué consiste. Mirad, cuando cascamos un huevo y la cáscara es dura es que lo puso una gallina mayor, cuando es blanda es de una gallina joven. Bueno, pues a los ovocitos de la mujeres les pasa lo mismo.

Como sabéis, el embrión se desarrolla dentro del ovocito y a los 5-7 días de vida la presión de las células en crecimiento rompe la membrana pellúcida, se llama eclosión, rompe la cáscara y se implanta en el interior del útero. Cuando al microscopio se ve gruesa se le pueden hacer orificios para que se rompa más fácilmente. Ya veis, cuidamos a nuestros embriones como pequeños pacientes y hacemos todo lo que podemos para ayudarles a que puedan nacer.

El tercer día tras la FIV, los embriones pueden transferirse a la paciente o dejarse dos días más en cultivo. Para la transferencia elegimos los embriones más bonitos, es decir, los que tienen una puntuación más alta basándonos exclusivamente en su aspecto morfológico, pero no sabemos si sus cromosomas están bien. No se ve con los microscopios.

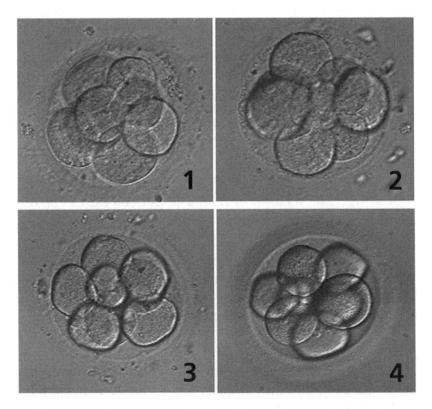

1: Trisomía 21 (Síndrome de Down); 2: Trisomía 18 (Síndrome de Edwards); 3: Cromosómicamente Normal; 4: Trisomía X, 18, Monosomía 22.

Pero un embrión morfológicamente de buena calidad puede ser portador de anomalías cromosómicas. Os enseño 4 embriones de una paciente, todos ellos eran morfológicamente aptos para transferir. A simple vista parecen iguales, pero solo el embrión número 3 podrá realmente dar lugar a un embarazo evolutivo sano. El 1 es Síndrome de Down, el 2 un síndrome con malformaciones incompatibles con la vida y el 4 no tiene potencial de seguirse dividiendo muchos días más.

Antes de seguir, conviene que conozcas unos conceptos muy importantes porque me he propuesto que al acabar este libro seas una experta en genética. La prueba diagnóstica que estudia el número y la estructura de los cromosomas de una persona se llama **cariotipo** y se realiza mediante un análisis de sangre.

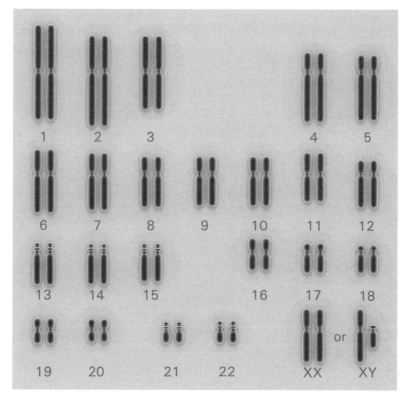

Cariotipo normal

Yo me imagino los **cromosomas** como un armario de 23 cajones.

Cada cajón de este armario contiene unos genes. Los genes son las estructuras que determinan los rasgos característicos de cada persona. Cada gen tiene una misión específica, por ejemplo, determinar la altura, el color de los ojos, el funcionamiento de un órgano, la predisposición a enfermedades... Cada cromosoma contiene entre 200 y 3.000 genes que se encargan de diferentes funciones.

¿Son necesarios todos los cromosomas?

Para que un embrión pueda evolucionar y llegar a nacer necesita tener todos los cromosomas. La ausencia de algún cromosoma impide el desarrollo embrionario en fases precoces dando lugar a abortos.

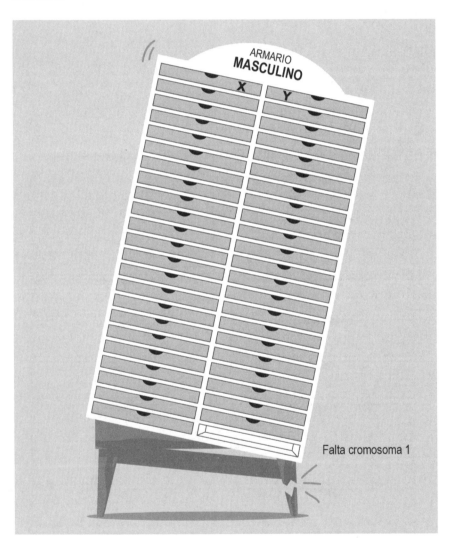

Falta cromosoma 1

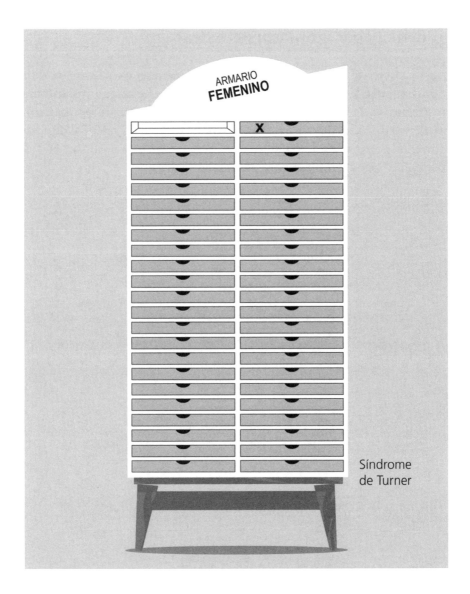

Solo hay una excepción: la ausencia de uno de los cromoso-mas sexuales, que da lugar al Síndrome de Turner 45 XO. Son mujeres con aspecto infantil e infertilidad, ya que no se desarro-llan sexualmente. Actualmente les damos tratamiento para conse-guirlo y pueden ser madres con donación de ovocitos.

¿Puede haber cromosomas extra?

La mayoría de los embriones con cromosomas extra no pueden desarrollarse ya en sus fases más precoces, no llegan a implantarse o son causa de abortos durante el primer trimestre del embarazo. Sin embargo, otros con trisomías pueden llegar a nacer y dan lugar a las enfermedades genéticas más frecuentes, como son la Trisomía del par 21 o Síndrome de Down.

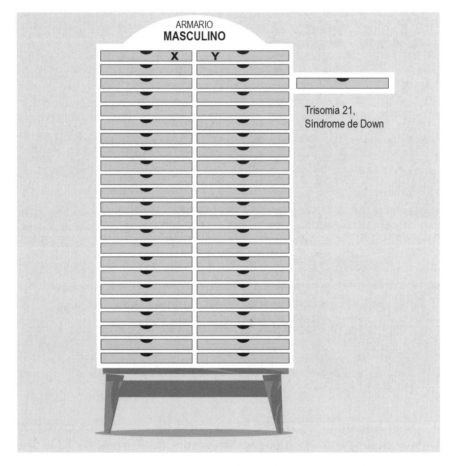

ARMARIO
MASCULINO

Trisomia 21,
Síndrome de Down

- El síndrome de Klinefelter 47 XXY se manifiesta con una constitución corporal anormal, piernas muy largas y cuerpo desproporcionado. Presentan esterilidad e hipotrofia testicular (testículos más pequeños).

- El síndrome de triple X, 47 XXX, también llamado síndrome de superhembras. Son niñas con problemas mentales y de comportamiento, también suelen tener una talla alta. Afecta a una de cada mil niñas nacidas y con frecuencia no llega a diagnosticarse.
- El síndrome 47 XYY es llamado también el síndrome del superhombre. No es un síndrome que comporte anomalías pero el índice de violencia y de tendencia a drogas es mayor de lo habitual en estos varones.

Una **mutación** es un cambio en la información que lleva un gen. Seguramente asocias la palabra mutación a algo malísimo, pero no siempre es así. Las mutaciones genéticas son cambios necesarios para la evolución de las especies y para adaptarnos al entorno. Por ejemplo, el color de piel oscura en los lugares muy calurosos. Pero también hay errores de la naturaleza: se pueden producir mutaciones anómalas en un grupo de células y con ello originar un tumor, o mutaciones en las células reproductoras y dar lugar al nacimiento de hijos con enfermedades que además serán hereditarias.

A medida que avanza la edad materna se produce un envejecimiento de la reserva ovárica que repercute en un aumento de embriones cromosómicamente alterados. Así pues, el riesgo de tener un niño nacido afectado de alguna anomalía cromosómica en la población general es de 1/385 a los 30 años, 1/179 a los 35 años, 1/63 a los 40 años y 1/19 a los 45 años.

En esta tabla se muestran los porcentajes de anomalías cromosómicas en función de la edad materna y, como se puede observar, a partir de los 37 años es ya considerable.

Porcentaje de anomalías cromosómicas en los embriones en función de la edad materna.

Edad Materna	% embriones alterados*
35-37	42,3%
38-39	68,6%
40-42	79,2%

*Datos estimados del Institut Marquès

Cuando analizamos embriones procedentes de donantes, es decir de personas jóvenes y sanas, el 33% están alterados. Como veis, aún en el mejor de los escenarios la reproducción de los humanos no es perfecta y por eso no se produce gestación en todos los ciclos. Humildemente reconocemos que ninguno de los tratamientos existentes en la actualidad puede impedir la involución fisiológica de la fertilidad femenina.

El análisis de los cromosomas de los embriones se llama «diagnóstico genético preimplantacional». Se llama también análisis genético preimplantacional, **DGP** o **PGD**.

http://institutomarques.com/reproduccion-asistida/tecnologia-avanzada/diagnostico-genetico-preimplantacional/

Os voy a decir cómo se hace. Mirad… Cuando un embrión está en su 3er día de vida tiene unas 6 u 8 células, en este momento todas las células son iguales. Podemos extraer una para analizarla. Al embrión no le pasa nada (como la cola de una lagartija), la regenera en pocas horas. Parece ciencia-ficción, pero actualmente, en 48 horas, sabemos su cariotipo, su mapa cromosómico.

Según estudios realizados en nuestro centro, en la mejor de las situaciones, es decir, en embriones procedentes de donantes de ovocitos y de semen, la tercera parte presentan anomalías cromosómicas. Parece mucho, pero es que la reproducción de los humanos es poco eficaz.

El porcentaje de embriones anómalos va aumentado con la edad de la mujer, estando alterado el 78% de los embriones de las pacientes de 40 años. El DGP nos permite transferir embriones que además de bonitos están sanos.

No se hace por sistema porque todavía es caro y porque no todos los centros lo saben hacer, aunque las clínicas que no tienen esta tecnología pueden mandar la célula a otro centro para analizar.

Hay quien dice que se puede dañar el embrión, pero en manos expertas no es así. Al inicio del ICSI también decían que mejor no hacerlo, que los biólogos podían romper el óvulo durante el proceso...

Los embriones se transfieren dos días después, 5 días tras la FIV. Así, eligiendo los embriones cromosómicamente normales para transferir se consigue aumentar la posibilidad de embarazo, se disminuye el riesgo de aborto espontáneo y de llegar a la amniocentesis con un problema que podíamos haber visto antes.

Hay ciclos en que todos los embriones presentan anomalías y claro... No hay transfer, ¡lo vemos incluso en aquellos pacientes en los que analizamos 10 embriones! Si no se hubieran analizado esta paciente habría tenido transferencia de 2 o 3 embriones frescos, congelado 7 embriones y dos o tres ciclos de congelados con todo lo que supone... Ilusiones, dinero, viajes, ausencias laborales, etc.

Como hemos comentado, las anomalías cromosómicas embrionarias son la causa oculta de muchos fallos en la consecución de embarazo evolutivo con fecundación in vitro. El DGP tiene gran valor diagnóstico, permite transferir exclusivamente los embriones normales para los cromosomas analizados y evita la congelación de embriones alterados. Cuando la pareja presenta un alto porcentaje de embriones anómalos hay que analizar si el origen es femenino, masculino o ambos. Por ejemplo, si ella tiene 41 años probablemente sea esta la razón y entonces valoraremos la posibilidad de pasar a donación de ovocitos.

El análisis de los cromosomas de los embriones está especialmente indicado:

* En pacientes de 38 años o más.
* En varones con baja calidad de semen porque cuanto peor es la calidad seminal mayor es el riesgo de anomalías cromosómicas en los espermatozoides.
* En fallos repetidos en fecundación in vitro
* Pacientes con abortos de repetición.

Para que un embrión implante tras la fecundación in vitro y de lugar a embarazo evolutivo es necesario: que el útero esté preparado para acogerlo, que el embrión tenga morfología y dotación cromosómica normales, una energía potente (viene dada por las mitocondrias y es menos intensa con el paso de los años de los ovarios), que se pongan de acuerdo el embrión y el endometrio para que haya implantación y que no se produzca rechazo inmunológico.

Pero a pesar de todo esto y de que cada niño es un milagro, hemos conseguido que cada vez que transferimos embriones haya más posibilidades de éxito que de fracaso. Las tasas de fecundación y de evolución de los embriones dependen de las condiciones de cada laboratorio y son mejores en los laboratorios grandes, con biólogos bien formados y equipados con la tecnología más avanzada.

En resumen, podemos realizar una fecundación in vitro estándar o podemos aplicar tratamientos individualizados a cada uno de nuestros pequeños pacientes. Es lo que llamamos «medicina embrionaria».

Embryoscope desde casa

Cada mañana, cuando los biólogos llegan al laboratorio de fecundación in vitro, alucinan con los vídeos de la evolución de cada embrión. Son imágenes tan impactantes que nos planteamos que los pacientes también pudieran verlas y emocionarse con ellas... Me daba pena que se perdiera algo tan bonito, así que nos pusimos a diseñar un sistema para remediarlo. En 2012 el Institut Marquès desarrolló un sistema, de momento único en el mundo, que permite a nuestros pacientes observar a través de internet cómo evolucionan sus embriones. Desde su ordenador o su teléfono móvil pueden «entrar» en el laboratorio de fecundación in vitro y observar en directo a sus embriones.

¿Cómo se sienten los pacientes al observar todo el desarrollo de sus embriones, antes de que se transfieran al útero de la mujer? ¿Qué emociones produce contemplar en estado de pocas células al que puede llegar a ser su futuro hijo?

A lo largo de estos años hemos oído sus comentarios y hemos realizado múltiples encuestas. Y lo valoran muy positivamente, ya que les hace sentir que están participando en el proceso. Una de las mayores preocupaciones de las parejas que hacen fecundación in vitro es saber cómo se encuentran sus embriones en el laboratorio y si evolucionarán bien o no. Y con frecuencia llegan a la transferencia de embriones sin saber cómo están. Observar lo que está pasando en el laboratorio aumenta la sensación de control y disminuye la incertidumbre: poder acceder a ver cómo sus embriones se están desarrollando reduce la ansiedad en esta fase del ciclo. Un pequeño porcentaje de pacientes prefieren no continuar viéndolos por sentir miedo/respeto... Les afecta demasiado.

Cuando les preguntamos: ¿Qué embrión crees que es el mejor para transferir? Responden a esta pregunta el 26% de los casos y el embrión citado por los pacientes es uno de los transferidos en el 86% de los casos. ¡Es increíble el alto grado de entendimiento de las imágenes! La belleza es simetría y ausencia de imperfecciones. Nos llama la atención que expresen una gran preocupación por los embriones que no han podido evolucionar, ya desde tan pronto se desencadena el instinto de protección.

Los comentarios más frecuentes ante la contemplación de los embriones son: es experiencia emocionante, impactante, sorprendente, única, ver moverse bruscamente las células en el momento en que se dividen, es como ¡una explosión de vida!, es como un «gran hermano embrionario».

Embriomóvil

Uno de los emails que más me ha gustado es el de un paciente que desde la mina donde trabaja en Australia, cada día ascendía a la superficie para poder ver a sus embriones. El semen lo había dejado congelado en Barcelona y su mujer estaba viajando a España para el transfer de embriones creados con ovocitos de donante. Podían compartir estas imágenes.

Abrir online el laboratorio a los pacientes es un ejemplo del concepto de empowerment que ha emergido en los últimos tiempos: un nuevo perfil de paciente que participa activamente en la gestión de su salud. Internet ha provocado un cambio en esta relación médico-paciente, acortando las distancias. El conocimiento abierto y compartido en la red permite que cada vez más personas tengan acceso a la información necesaria para gestionar su tratamiento. Además, supone un ejemplo de transparencia y el video es el mejor informe de cómo ha ido el ciclo.

Inicio del tratamiento

Empieza el ciclo de fecundacion in vitro

Isabel y Javier acaban de salir de la entrevista de biología y están deseando empezar el ciclo. Empiezo por explicarles en qué consiste la **estimulación ovárica.**

Para hacer la fecundación in vitro intentamos que se desarrollen varios folículos hasta la madurez completa y esto se consigue administrando un tratamiento hormonal por vía subcutánea, a veces también vía nasal.

Con cada ciclo menstrual cientos de folículos inician su crecimiento, pero cuando uno de ellos se hace más grande se produce un bloqueo en el desarrollo de los demás. Esto es un proceso fisiológico para que tengamos los hijos de uno en uno. Cuando crecen dos hay la posibilidad de tener gemelos. El tipo de medicación y las dosis se individualizan para cada paciente, basándonos en su edad, la morfología de los ovarios, la analítica hormonal, la masa corporal, la respuesta a la estimulación en ciclos previos si los ha habido y nuestra experiencia.

La estimulación ovárica dura habitualmente unos 8-10 días, durante ellos se realizan controles para valorar cómo responden los ovarios. En estos controles se realiza un análisis de sangre para determinar los niveles de estradiol (que es la hormona que producen los folículos en crecimiento) y una ecografía vaginal para observar cuantos folículos se están desarrollando en cada ovario y qué tamaño tienen. En función de estas pruebas se va modulando la dosis de la medicación y se indica cuándo se realiza el siguiente control, 1 o 2 días después.

Cuando los folículos han alcanzado un tamaño entorno a los 18-20 milímetros de diámetro y los niveles de estradiol son adecuados, se pauta la inyección de otra medicación que induce la ovulación.

Esta inyección es la más importante pues un error en el horario o una mala administración pueden repercutir en un fallo en la recuperación de los ovocitos. En algunos casos, cuando la respuesta no es la adecuada, se puede decidir cancelar el ciclo y reiniciarlo con otro protocolo de estimulación.

—En tu caso, Isabel, necesitas una pauta de dosis alta. La medicación es muy sencilla de administrar y antes de que te vayas te vamos a enseñar a prepararla y a que tú misma te pongas las inyecciones en un pliegue del abdomen, esto te dará autonomía. El proceso de FIV es sencillo. Piensa que por él pasan chicas jóvenes que donan óvulos y, si fuera doloroso o de riesgo, no lo haríamos. Puedes y debes hacer vida normal, compaginándolo con tu trabajo. Solo es necesario reposo el día de la recuperación de ovocitos.

—Doctora, con lo que me has dicho sobre la facilidad del proceso estoy pensando en decirle a mi hermana Fátima que venga a vitrificar ovocitos, ¿qué te parece? —sugiere Isabel.

—Me parece muy bien. Especialmente porque el grado de fertilidad es una característica individual de cada persona y tiene un componente familiar. Tú tienes una edad ovárica superior a la esperada, así que tu hermana es posible que también.

—Hemos leído toda la información legal que nos habéis dado, pero tenemos algunas dudas sobre cómo debemos rellenar los consentimientos informados respecto al destino de los embriones congelados —pregunta Javier.

—Luego hablaremos de este tema, pero antes quiero que comentemos el número de embriones que vamos a transferir. Mi consejo es poner solo uno porque evitamos los riesgos de un embarazo gemelar y porque actualmente, en los laboratorios buenos los embriones no pierden potencial de implantación, aunque hayan estado congelados. Pensadlo entre vosotros.

Ahora tenemos que diseñar cómo será vuestro ciclo de FIV.

—Por lo que me ha contado la bióloga en la entrevista parece como si un FIV fuera como un coche al cual hay que asignar los extras que queremos.

—Pues lo has dicho muy bien. La FIV se inventó inicialmente para problemas en las trompas y que la «probeta» hiciera su función, pero actualmente se aplica a todo tipo de problemas de fertilidad. Hay muchos tratamientos complementarios y en cada caso hay unos que no están indicados, otros que son necesarios y algunos opcionales, según los deseos de la pareja.

—Nosotros queremos analizar los embriones para evitar abortos.

—Sí, dada tu edad, haremos diagnóstico genético preimplantacional. Ahora, con tu próxima regla empiezas las inyecciones y nos vemos en el primer control de análisis y ecografía.

Empieza el ciclo de inseminación artificial

Marta me pregunta:

—¿Cómo se hace un ciclo de inseminación intrauterina?

—Lo primero que vamos a hacer es estimular con medicación el desarrollo folicular. En las inseminaciones damos una dosis muy baja porque queremos que crezcan uno o dos folículos, así evitamos riesgos de un embarazo múltiple. Empezarás con 75 UI (Unidades Internacionales) de Gonadotrofinas subcutáneas, son las hormonas que estimulan los ovarios, son FSH (folículo estimulante hormona) y LH (luteotropina hormona). Los folículos en crecimiento producen estradiol y cuando los niveles superan los 300 pg/ml se desencadena el circuito hormonal que induce la ovulación.

En un ciclo de tratamiento tenemos que inhibir este proceso para evitar que ovules antes de tiempo. Por eso debemos añadir otra medicación. Podemos elegir entre Antagonistas de la Gn-RH que se ponen subcutáneos desde que el folículo de mayor tamaño alcanza los 14 mm. de diámetro o bien Agonistas de la Gn-RH subcutáneos o en spray nasal desde el primer día de la regla.

—Pues yo prefiero el spray nasal. Pero, ¿no puede hacerse sin medicación? —me pregunta Marta.

—Sí, puede hacerse, pero las posibilidades de embarazo son menores y se hacen necesarios muchos más controles. Con la medicación sabemos el momento exacto en que vas a ovular.

—¿Qué riesgos tienen las medicaciones?

—Hay muchos estudios realizados respecto a posibles enfermedades y riesgos de cáncer por haber recibido estos fármacos, sin embargo, no existe evidencia científica de que sean causa de ningún problema posterior. Una mujer cuando está embarazada se pasa 9 meses con unos niveles muchísimo más altos de estas hormonas.

Si se produce una respuesta excesiva puede dar lugar a un **síndrome de hiperestimulación ovárica**, pero con las dosis que se indican para inseminación y los controles que se realizan es algo excepcional. Este riesgo se presenta en estimulaciones para fecundación in vitro en chicas con ovarios poliquísticos. En estos casos debemos inducir la ovulación con medicaciones que tras la ovulación provoquen la menstruación, congelar los embriones y llevar a cabo la transferencia en el siguiente ciclo. Así evitamos riesgos y actualmente los resultados en cuanto a embarazo son iguales con embriones frescos que congelados.

—¿Cuántos días son con inyecciones?

—Unos 8-9 días. Cuando los folículos han alcanzado un tamaño entre 18–20 mm. de diámetro se indica la inyección de HCG. Esta hormona induce los últimos cambios de madurez y la ovulación, es decir, la ruptura de la membrana externa del folículo y la salida del óvulo a las 36 horas de haberla inyectado.

—¿Qué se hace el día de la inseminación? —pregunta Marta.

—Te voy a contar lo que se realiza en laboratorio y lo que se lleva a cabo en consulta. Cuando se utiliza el semen de la pareja, el varón obtiene en casa una muestra de semen y la entrega en el centro en un periodo de tiempo inferior a 1 hora.

En el laboratorio de semen se prepara mediante una técnica de gradientes que separan el plasma seminal, y potencian y concentran los espermatozoides móviles. Si es con semen de banco se descongela y se prepara. Dos horas después se hace la inseminación en la consulta.

Se coloca a la paciente en posición ginecológica y a través del cuello del útero se introduce una fina cánula con la que se depositan los espermatozoides en el fondo del útero. A los pocos minutos ya habrán llegado a las trompas de Falopio donde está el ovocito esperándolos. No es molesto, dura unos minutos y no requiere reposo posterior.

—¿Cuántas inseminaciones se hacen en cada ciclo?

—Si el ciclo se hace con tratamiento solo es necesario hacer una por ciclo. La inseminación tiene que sincronizarse con la ovulación (debe hacerse pasadas pocas horas). Si ya han pasado 24 horas desde la ovulación o el semen llega 24 horas antes de la misma, es poco probable que se consiga el objetivo.

—¿Qué hay que hacer después de la inseminación?

—Te indico tratamiento con un óvulo (supositorio vaginal) de progesterona cada 12 horas durante 11 días. El objetivo es preparar de forma óptima el endometrio para recibir al embrión. Los 14 días siguientes a la ovulación se llaman fase lútea. Puedes hacer vida completamente normal.

Una vez realizada la inseminación ya no hay que llevar a cabo más controles, solo hay que esperar. Conforme se acerca el día de la prueba de embarazo te sentirás cada vez más nerviosa, conviene que estés preparada psicológicamente para estos días.

—He visto en internet que hay la posibilidad de pedir semen de banco a algunos centros europeos y te lo traen a casa, incluso puedes elegirlo —me comenta Marta.

—No te recomiendo las «inseminaciones en casa». El semen descongelado y colocado con una jeringa en vagina el día que te parece que ovulas tiene muy bajas posibilidades de éxito. Durante los procesos de congelación y descongelación el semen, aunque tenga muy buena calidad, pierde movilidad, por eso los resultados son mucho mejores si se potencia tras la descongelación y se deposita en el interior del útero.

—¿Qué posibilidades de embarazo tengo?

—Las probabilidades de embarazo dependen principalmente de la edad de la paciente y del número de folículos que se desarrollen en el ciclo. Con estimulación ovárica e inseminación intrauterina las probabilidades de embarazo por ciclo son del 20-25 %. Una vez conseguido el embarazo, el riesgo de aborto es el que tiene cada mujer según su edad y el riesgo de embarazo ectópico, es decir, que el embrión se implante fuera de la cavidad uterina, es como en cualquier embarazo espontáneo, su incidencia es aproximadamente del 2%. Esto también ocurre en embarazos tras fecundación in vitro.

—¿Las inseminaciones pueden realizarse cada mes?

—Sí. Pueden hacerse seguidas, no es necesario descansar entre ciclo y ciclo de tratamiento. Antes de iniciar cada ciclo se valora la conveniencia de introducir alguna variación en la pauta de estimulación ovárica.

—¿Cuántos ciclos de inseminación pueden hacerse?

—Según los datos estadísticos, el 90% de las pacientes que se quedan embarazadas lo hacen en los cuatro primeros ciclos. Por lo tanto, si no se ha conseguido éxito tras tres o cuatro ciclos es conveniente cambiar de técnica. Es posible que existan otros factores de esterilidad que no se corrigen con las inseminaciones. En tu caso, si no te quedas en tres ciclos haremos fecundación in vitro.

—Ya me lo has explicado, pero, ¿podrías volver a decirme quiénes son los donantes de semen y si se comprueba que están sanos?

—Son varones jóvenes y sanos que desean ayudar a las personas que lo necesiten. En su mayoría son estudiantes universitarios. Se someten a una revisión médica y analítica muy completa que, por ejemplo, en nuestro centro incluye el estudio de FISH en espermatozoides, fragmentación del ADN espermático y de las 50 mutaciones más frecuentes de la fibrosis quística. Los análisis de sangre para detectar enfermedades de transmisión sexual se repiten periódicamente. También se realiza una historia clínica familiar, para descartar enfermedades familiares.

—Me preocupa saber quién será mi donante, ¿ya lo has elegido?

—Pues sí. He elegido entre muchísimos donantes de nuestro banco de semen. He visto su cara, sus características físicas y el número de hijos. Hay un número máximo de hijos que pueden tener en cada país, viene determinado por ley y es para evitar que el día de mañana se encuentren hermanos y puedan hacerse pareja con alto riesgo genético por consanguinidad.

—Mi amiga María José dice que me va a poner ella las inyecciones. Yo puedo hacerlo sola pero prefiero que me lo haga ella, así puedo verla y hablar.

No se lo digo pero veo a Marta triste. Habitualmente las chicas que asumen la maternidad en solitario están contentas e ilusionadas y este entusiasmo se extiende a las personas que las acompañan. Suelen venir con su madre o amigas íntimas y se sienten seguras y apoyadas. No sé cómo ayudarla...

12

Embarazo gemelar

Rocío y Jaime están eufóricos. Todas las pruebas de Jaime han salido bien y ya pueden empezar el tratamiento. De hecho, quieren hacerlo «hoy». No puedo evitar reírme mientras les digo que lo iniciaremos con su regla, en una semana y ¡¡les parece tarde!! Necesitan saber la fecha exacta del día de la recuperación de ovocitos porque Jaime se desplaza continuamente para los partidos. Les digo que será en unos 11-14 días tras el inicio de la regla, pero que no podemos saber el día exacto hasta dos o tres días antes y que es mejor tener una muestra de semen congelada por si coincide con estar él fuera de Barcelona.

No lo ve claro. Él desea estar con Rocío ese día, ella se emociona y le saltan las lágrimas mientras Jaime la levanta de la silla y la abraza. Siguen así un buen rato, pasan de mí y mientras yo voy preparando la pauta de medicación, consentimientos, etc.

Como la escena de sufrimiento no se acaba, intervengo diciéndoles que van a vivir juntos el proceso porque tenemos el Embryoscope desde casa.

Ahora les propongo transferir solo un embrión en estadio de blastocisto, les explico que los resultados en cuanto a tasa de embarazo son los mismos que poniendo dos embriones en el tercer día de evolución y evitamos el embarazo gemelar.

Pero no me hacen caso, les volvería locos de alegría tener gemelos y quieren poner dos blastocistos. Les explico que aunque Rocío es joven, sana y alta, un gemelar es un embarazo de alto riesgo y les pido que reflexionen sobre esta decisión.

¿Quieres tener gemelos?

En el 2011 hicimos una encuesta a pacientes que llegan por primera vez a nuestro centro por esterilidad y que no tenían hijos. Se preguntó a 900 pacientes de 31 países si preferirían tener gemelos, hijo único o si les era indiferente una opción u otra. Los resultados indican que la mayoría de las parejas que hacen tratamientos de reproducción prefieren tener gemelos.

El 52% prefieren tener gemelos, el 30% prefieren hijo único y al 18% les da igual mientras consigan embarazo. Existen grandes diferencias entre países. Así, en España, Italia y algunos estados nórdicos como Noruega, más del 60 % de las parejas manifiestan que desearían gemelos. Por el contrario, en países como Alemania o Francia este porcentaje se reduce a la mitad y solo el 30 y 40 % de las parejas respectivamente querría verse empujando el doble cochecito.

Los especialistas en esterilidad no nos sorprendemos de los resultados de esta encuesta. Cada día vivimos este conflicto entre lo que quieren los pacientes y lo que aconsejamos los médicos, porque resulta difícil explicar los riesgos del embarazo gemelar a mujeres que temen no conseguir nunca ser madres.

Al hablar de la posibilidad de tener gemelos la mayoría se imaginan que serían el doble de felices y que ya habrían completado su familia. Coks Fenstra, experta en estudios de gemelaridad, tras entrevistar a decenas de adultos gemelos dice: «Ser gemelo es tener el doble de alegrías y la mitad de penas».

¿Sabéis cuáles son las causas del embarazo gemelar?

Por una parte, los **gemelos dizigóticos o mellizos** son los que proceden de dos embriones distintos y se parecen solo como cualquier otro hermano. De forma espontánea se debe a la predisposición genética a ovular por dos folículos. Se produce una doble ovulación y se fecunda con un espermatozoide distinto cada uno. Esta herencia se transmite tanto a través de las mujeres como de los hombres. Las mujeres que tengan gemelos en su familia tienen mayores posibilidades de tenerlos ellas. Si la herencia la lleva el hombre se va a expresar en sus hijas (ellos no ovulan). El mito de que se salta una generación no es cierto, pero se ve con frecuencia por lo que acabamos de comentar.

Si una mujer tiene relaciones sexuales durante la ovulación con más de un varón existe la posibilidad de que una mujer tenga un parto de gemelos de padres distintos. La **incidencia natural de partos gemelares** es del 0,8%. Varía según la raza, en Asia es menor y en algunos países de raza negra como Nigeria es el doble (1 de cada 40 partos). También sabemos que aumenta con la edad de la mujer y con mayor número de hijos previos.

En los países en los que hay acceso a técnicas de reproducción asistida, el 1,6% de los partos son gemelares. Tras tratamientos de esterilidad, los gemelos se deben a que con frecuencia transferimos dos o tres embriones para aumentar las posibilidades de embarazo. Pero la tendencia es a menos embarazos múltiples y que los trillizos sean excepcionales.

Los gemelos monozigóticos son los que proceden de un mismo embrión. Un zigoto es una célula formada por la unión de un óvulo y un espermatozoide. Se divide y da lugar a dos personas idénticas físicamente. A pesar de los avances en genética se desconocen las causas reales que inducen esta partición embrionaria espontánea. Es independiente de los tratamientos que se apliquen al embrión, aumenta con cualquier técnica de reproducción aunque no sea la FIV.

Se produce en los primeros días de vida embrionaria y según el momento en que ocurra pueden compartir la misma placenta e incluso la misma bolsa de líquido amniótico. Son poco frecuentes, de forma espontánea: representan solo un 1% de los embarazos gemelares y un 3% de los debidos a tratamientos. Estos niños tienen un riesgo mucho mayor de no llegar a nacer porque pueden distribuirse mal entre ellos la circulación de la sangre o enredarse sus cordones umbilicales.

Trillizos

Hoy en día, en 2016, ya no deberíamos transferir en ningún caso tres embriones. Las posibilidades de que un embrión implante han ido aumentando al mejorar las técnicas de FIV y es un riesgo tan alto para la mujer y para los niños que actualmente no tiene sentido. Con frecuencia, poner más embriones viene dado por evitar la pérdida de vitalidad tras los procesos de congelación pero, hoy, con los resultados tan buenos que se consiguen con la vitrificación, esto ha cambiado.

En 1999 tuve la oportunidad de vivir una experiencia única. Tras un ciclo de fecundación in vitro, uno de los embriones de dividió en tres y nacieron unos trillizos clónicos. Por suerte y muchos cuidados nacieron sanos. Ahora son unos chicos muy guapos, además listísimos y muy deportistas. Si ponéis en internet «Trillizos idénticos Institut Marquès» podéis ver hasta la cesárea. Cuando veo mis declaraciones para prensa en ese fecha me quedo helada: ¡cómo han cambiado las cosas!

En aquel momento los ecógrafos eran peores y en la primera eco vimos una vesícula y un embrión incipiente, una semana después dos embriones y una semana después tres embriones dentro de la misma vesícula gestacional. Durante el primer año de vida, la policía científica, los pediatras y nosotros seguimos su desarrollo. Estos niños ofrecen la posibilidad de estudiar los rasgos que vienen determinados genéticamente y los que son independientes del código genético.

Las curvas de evolución del peso, perímetro cefálico y altura, dentición... fueron totalmente superponibles. Pero el carácter era diferente ya en la incubadora y los gemelos llamados idénticos tienen las huellas dactilares y plantares diferentes. El patrón del dibujo de las huellas dactilares ya está formado a los 3 meses de embarazo. La piel de las palmas, plantas y dedos es especialmente fina y sensible. El flujo del líquido amniótico alrededor del feto las va dibujando, es similar a las huellas que dejan las olas en la arena, dependen del azar.

Según las conclusiones de la policía en los primeros días de vida las huellas dactilares con frecuencia no dejan la impronta suficiente como para permitir la identificación posterior, no cambian, pero son valorables realmente a partir de los 3 meses de vida. Las huellas plantares permiten una identificación más eficaz en el momento de nacer, pero pierden su valor cuando el niño empieza a andar. Así, las huellas dactilares son diferentes en todos los seres humanos.

Un embarazo gemelar por definición es un embarazo de alto riesgo

Para el organismo de una mujer es un esfuerzo adaptarse a esta sobrecarga y aparece:

- Hipertensión arterial en el 15-20% de las embarazadas de gemelos.
- Diabetes en el 5-10%.
- Anemia moderada-severa en el 40%, requieren transfusión postparto el 5%.
- Cesárea en el 50-85% de los casos, según los centros.

Estos riesgos aumentan con la edad de la madre y las mujeres que están embarazadas tras técnicas de reproducción asistida son de mayor edad. Para los niños los riesgos se derivan fundamentalmente de la prematuridad y del retraso del crecimiento intrauterino. Se consideran prematuros los gemelos que nacen antes de la semana 35 de gestación.

- El 19% de los gemelos son prematuros.
- El retraso de crecimiento de un gemelo se presenta en el 30% de los embarazos y de ambos en un 15% de los casos.

Así, la mortalidad perinatal (se llama así la muerte entre los 5 meses de gestación y la 1ª semana de vida) en embarazos únicos es de 5 de cada 10.000 y en gemelos de 30 de cada 10.000, es decir es seis veces mayor.

13

Vida y destino
de los embriones congelados

Por lo que me comentan los pacientes hay un gran desconocimiento sobre **cómo viven los embriones congelados**. Algunos se imaginan paredes enteras llenas de armarios con una especie de mini-literas. Otros creen que están en habitaciones parecidas a neveras enormes, otros dentro de cápsulas como las de medicinas colocadas en paneles de celdillas como las abejas... Pero lo cierto es que son microscópicos y ocupan muy poco sitio. En un contenedor de un metro de alto y 70 cms. de ancho hay espacio para 10.000 embriones.

Los habitantes de la guardería del frío viven en unos tanques con compartimentos en los que se colocan los hermanos juntos, en cubiletes de plástico, cada familia de un color. Dentro de los cubiletes duermen en barritas blancas de plástico que se llaman «pajuelas» y en cada una puede haber uno, dos o tres embriones. Estas barritas llevan dentro una varilla también de un color determinado etiquetada con el nombre.

Tenemos unas impresoras especiales que imprimen etiquetas muy, muy pequeñas con todos los códigos de identificación. Así, cada familia tiene su combinación de colores y códigos y en los ordenadores queda registrada su dirección dentro de la residencia-iglú para poder localizarlos.

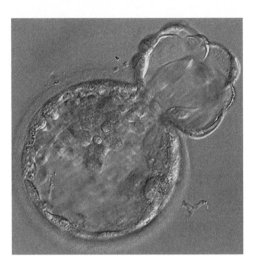

Eclosión del blastocisto

Se pueden congelar en varias etapas de desarrollo: desde el día de la fecundación, en ese momento todavía son una sola célula, hasta cinco o seis días después, en estadio de blastocisto, ya con muchas células aunque el tamaño es el mismo. Los primeros siete días de vida crecen dentro de la membrana externa del ovocito, igual que los pollitos crecen dentro de la cáscara de un huevo... ¡No olvidemos que un huevo es el ovocito de una gallina! Cuando las células rompen esta membrana, se llama eclosión del blastocisto, ya salen y se implantan inmediatamente en la capa interna del útero. Por eso solo se pueden congelar hasta ese momento.

El proceso de congelación de embriones dura unas horas. Se ponen a nadar en una solución crioprotectora que intenta impedir la formación de cristales de hielo y se aspiran suavemente hacia el interior de las pajuelas. Estas se meten en una máquina congeladora donde se baja la temperatura progresivamente y en unos 90 minutos están a −196° centígrados. Después ya se introducen las pajuelas en un contenedor lleno de nitrógeno líquido. Con este sistema, hace ya 30 años nació el primer niño que vivió congelado en estado de embrión.

Sin embargo, en la actualidad preferimos utilizar otro sistema que se llama vitrificación. La diferencia es que el tiempo en el que pasan de estar a 37° a −196° centígrados es de pocos minutos y quedan convertidos en un material sólido similar al vidrio.

La vitrificación se desarrolló porque la congelación tradicional no funcionaba con los ovocitos. Es como en casa: podemos congelar el pollo, pero no los huevos porque tienen una gran cantidad de agua que al congelarse forma cristales de hielo que rompen las estructuras tan delicadas que contienen. Además, si al descongelar un embrión se daña alguna de las células y desaparece, un embrión, por ejemplo congelado en cuatro células puede quedar en dos, pero tiene la capacidad de seguirse dividiendo y a las pocas horas volver a estar en cuatro. Sin embargo, un ovocito es solo una célula, así que si se daña no puede repararse. La vitrificación es una técnica muy laboriosa y requiere unas manos muy entrenadas, pero ha mejorado muchísimo las tasas de embarazo, ya que el porcentaje de embriones que sobrevive se acerca al 100%.

Seguramente no hay límite de tiempo para la vida en estado de embrión congelado. Precisamente en el año 2006 presentamos en el Congreso de la Sociedad Española de Fertilidad el récord publicado a este respecto, dentro de nuestro Programa de Adopción de embriones: Nació un niño que llevaba 13 años y medio congelado. Tiene dos hermanos biológicos, pero él nació en otra familia y nunca los conocerá.

En todos los laboratorios, los tanques contenedores de semen, de ovocitos y de embriones son blancos o de acero, muy serios y aburridos. Pero los nuestros son muy bonitos, les hemos puesto juguetes...

Embriones frescos o congelados, ¿qué es mejor?

En el año 2014, la Dra. Esther Velilla, nuestra directora de laboratorio, presentó los últimos resultados y me quedé alucinada porque las tasas de embarazo por transferencia eran iguales con embriones transferidos en fresco que con los vitrificados. ¡Incluso con embriones que se han congelado dos veces! Esta situación ocurre cuando se descongelan más embriones de los que finalmente se transfieren, en estos casos se los deja en cultivo y, si llegan a estadio de blastocisto, se vuelven a vitrificar. Sinceramente, creía que no presenciaría jamás algo así en mi vida profesional.

Estamos ante un avance médico enorme porque supone nada menos que todo esto:

- Mayores posibilidades de embarazo por ciclo. Hablamos de un ciclo cada vez que hay recuperación de ovocitos. Esto supone que en muchos casos no tengamos que hacer otra punción cuando se quiera un segundo embarazo.
- Reducción del número de embarazos múltiples. Es frecuente que, a pesar de preferir un embarazo único, los pacientes nos pidan transferir más embriones para evitar que pierdan calidad al congelarlos.
- Si tras la recuperación de ovocitos la paciente no puede continuar el tratamiento por razones médicas o familiares, no nos va a importar no hacer el transfer en fresco. Esto es muy importante en mujeres con ovarios poliquísticos porque tienen riesgo de hiperestimulación.

Se han publicado varios estudios que señalan que los resultados con embriones congelados pueden ser incluso mejores, ya que la preparación del endometrio es más fisiológica. De hecho, proponen congelarlos todos y no hacer la transferencia en fresco. Yo ya no espero tanto, además esto retrasaría y encarecería el proceso.

De momento, los pacientes no se lo creen del todo. Un marido muy simpático me decía: «¿Cómo va a ser igual? ¡Si se nota hasta en la merluza!».

Bueno, tenemos que darlo a conocer.

El gran reto de vitrificar blastocistos

Ya os comenté cómo viven los embriones congelados. A los biólogos lo que más les ha costado ha sido conseguir la vitrificación de los blastocistos. Los blastocistos son los embriones que cuentan entre 5 y 6 días de vida. Tienen una masa de unas 200 células que va a dar lugar a todas las estructuras del embrión, se llama masa celular interna. Las otras células se denominan trofoectodermo y van a dar lugar a la placenta. Además, tienen una laguna de agua muy grande bautizada como blastocele y una membrana externa que está a punto de romper, ya que blastocisto es el estadio previo a implantarse en el útero.

La dificultad para congelar blastocistos viene dada principalmente por la cantidad de agua que tienen.

Para vitrificar los blastocistos con éxito, se les extrae el agua, ya sea pichándolos o bien, rodeándolos con una solución química que les absorbe el líquido. Primero se quedan sin agua y después se rehidratan para desvitrificarse, ¡y quedarse tan contentos!

 En este vídeo podréis observar cómo se realiza este proceso. Son imágenes aceleradas, ya que dichos procesos duran unas horas: http://institutomarques.com/reproduccion-asistida/tratamientos/fecundacion-in-vitro/blastocisto/

El destino de los embriones congelados

Si no quisieras tener más hijos, ¿qué destino darías a tus embriones congelados? Te pido por favor que te plantees la siguiente situación: tienes dos hijos que han nacido tras FIV y no quieres más, pero resulta que del ciclo de tratamiento han quedado tres embriones congelados. Supongamos también que, como esto ha ocurrido en España, puedes elegir todos los destinos posibles para ellos. ¿Qué decides?

Os voy a comentar lo que dice exactamente la Ley y nuestra experiencia con las respuestas de los pacientes.

Al iniciar un ciclo de FIV se firma un consentimiento informado eligiendo el destino para los embriones no transferidos. En este momento casi la totalidad de los pacientes deciden conservarlos para ellos creyendo que tal vez no se produzca un embarazo con los frescos o que pueden desear tener más hijos en algún momento. Cada año reciben una comunicación del centro para validar o cambiar esta decisión.

Las leyes a este respecto son diferentes en cada país.

Según la Ley Española de reproducción asistida Ley 14/2006. Capítulo III. Artículo 11:

> *«Los diferentes destinos posibles que podrán darse a los preembriones crioconservados, así como, en los casos que proceda, al semen, ovocitos y tejido ovárico crioconservados, son»:*

a. Su utilización por la propia mujer o su cónyuge

> *«Esto es posible hasta que se agote la circunstancia de fertilidad de la mujer y ya no pueda ser por razones médicas receptora de un embrión».*

Como la Ley no establece un límite determinado de edad ni concreta las patologías médicas que pueden contraindicar un embarazo resulta difícil saber cuándo termina este supuesto. Así, siguen conservando para sí los embriones el **38,8%** de los pacientes. Cabe destacar que el **91%** de estos pacientes han completado su proyecto reproductivo y no quieren tener más hijos, pero prefieren mantenerlos porque no se deciden por ninguna de las otras opciones.

b. La donación con fines reproductivos

Es decir, donarlos a otros pacientes. En nuestro centro solo el **4,7%** de las cartas que recibimos han elegido esta opción. Cuando les pregunto por qué no quieren que los reciban otras personas en su misma situación, me dicen que temen que sus hijos se encuentren con hermanos.

Les digo que nuestro sistema de asignación no lo permite porque van a otro país distinto, sin embargo, no cambian de idea. No escogen esta opción con la intención de proteger a sus hijos. Hay parejas que optan por ello, pero después los centros no podemos cumplir su deseo porque sus embriones no cumplen los requisitos para ser «donables», por ejemplo cuando la edad de la mujer es superior a 35 años.

c. La donación con fines de investigación

> *«Los pacientes deben recibir y firmar una carta del Centro en la que se especifique el proyecto de investigación al que se van a destinar y*

deben renunciar a compensaciones económicas derivadas de dichas investigaciones».

Destinan sus embriones a investigación el **3,9%** de los pacientes. Esta opción les da temor, se imaginan cosas horrorosas. Todavía no hemos enviado ningún embrión a este destino porque apenas hay líneas de investigación con células madre embrionarias.

d. El cese de su conservación sin otra utilización

Sólo el **4,7%** de los pacientes los destinan a destrucción. Nos dicen que les da pena deshacerse de ellos.

Este supuesto requiere que se haya agotado el periodo fértil de la mujer receptora y que eso se acredite mediante un informe médico de profesionales ajenos al centro. Este requisito hace que solo una tercera parte de estos embriones hayan sido destruidos, ya que no recibimos esos informes, que deben gestionar los propios pacientes.

La mayoría de los pacientes, el 47,9%, no responden a las cartas que reciben del centro.

No es que se desentiendan, es que dan muchísima importancia a esta decisión y les produce conflictos emocionales.

Así, a pesar de tener una ley que permite todas las posibles opciones de destino, la mayoría de los embriones quedan abandonados. Según la normativa legal, en este caso pasan a ser custodiados por el centro médico.

En el 2004, el Institut Marquès puso en marcha el primer «Programa de Adopción de Embriones» del mundo y desde entonces destinamos todos los embriones que cumplen los requisitos médicos para ser «donables» al Programa de Adopción (ser embriones procedentes de padres jóvenes y sanos; edad de la mujer inferior a 35 años, con todo el historial médico de progenitores y de hijos nacidos del ciclo de FIV, sus características físicas, grupo y Rh, etc.).

Así acuñamos, por primera vez en el mundo, el término «adopción de embriones». Creímos que el destino de los embriones no podía ser solo decisión de nuestro equipo y decidimos compartir esta responsabilidad con toda la sociedad ofreciendo a estos embriones la posibilidad de vivir, ayudándoles a encontrar una madre.

La adopción de embriones

Si bien adoptar a un niño significa acoger como hijo a un ser humano, algo cuyos padres biológicos no han podido hacer, adoptar embriones significa realizar un tratamiento para quedarse embarazada con embriones que han quedado sin destino. La diferencia entre adopción y donación de embriones es únicamente legal. En el «Programa de Donación» los embriones proceden de parejas que los han cedido expresamente y por escrito a otras personas.

En el «Programa de Adopción» los progenitores no han elegido opción de destino. Son, por tanto, embriones «abandonados» y el centro se convierte en el responsable legal. Os ruego que no penséis que las personas que no contestan a nuestras cartas están «abandonando a sus embriones sobrantes». No es cierto. La inmensa mayoría nos dice «confié en vosotros para crear una familia y ahora lo sigo haciendo, decidid lo que os parezca mejor».

No es necesario llevar a cabo ningún trámite, en ambos casos solo es necesario firmar el consentimiento informado para esta técnica de reproducción asistida. En ambos casos tienen que firmar los dos cónyuges si están legalmente casados. Si se trata de una pareja de hecho y el varón firma el consentimiento, quiere decir que en ese momento reconoce la posible paternidad. Si es una mujer sola lo firma ella. En parejas de mujeres es igual que en las mixtas. A nivel médico, los procedimientos son los mismos para los dos Programas.

Desde el inicio del Programa la respuesta ha sido emocionante por la gran aceptación social y el apoyo que ha obtenido desde diferentes colectivos, así como por la ilusión con la que llegan mujeres de todas las clases sociales, razas y nacionalidades para adoptarlos. Tan solo una semana después de haber iniciado nuestro Programa de adopción de embriones, la noticia había llegado a casi todos los países del mundo y nos escribían desde colectivos de todo tipo de tendencias y colores, desde las asociaciones ecologistas hasta las asociaciones más religiosas para brindarnos su apoyo y felicitarnos por la iniciativa. Hoy seguimos siendo el centro del mundo donde se realizan más donaciones y adopciones de embriones.

¿Cómo se realiza la asignación de embriones?

Cuando los pacientes eligen la donación/adopción de embriones en nuestro centro firman un consentimiento en el que saben y aceptan que en la asignación, solo se tendrá en cuenta la raza y nada más, ni siquiera el grupo sanguíneo, aunque esto no tiene importancia médica.

Nos aseguramos informáticamente de que los embriones se destinen a comunidades autónomas o a países distintos para evitar que se encuentren hermanos o consanguinidades casuales.

¿Quién adopta embriones?

Todos mis compañeros y yo seguimos comentando cada día lo especial que son todas y cada una de las transferencias de embriones de este programa. Es emocionante pensar el origen de cada embrión y cómo el destino lo hacer llegar a esa mujer; el amor, la ilusión y la esperanza que se respiran en ese momento. Detrás de cada caso hay una historia o bien de muchos fracasos en tratamientos previos o bien de haber abandonado la posibilidad de ser padres porque moralmente no lo contemplaban por diferentes motivos, y esto les ha abierto una nueva oportunidad. Son los transfers más bonitos, ¡se respira ilusión!

De cada niño que nace se podría escribir un libro de amor, de entrega y de agradecimiento a la vida. Además, los capítulos de procedencia biológica, de su historia cuando era embrión, del azar y del destino serán apasionantes.

Los receptores son, en la mitad de los casos, parejas con fallos repetidos en técnicas de reproducción asistida con un promedio de 4,1 años deseando tener un bebé y con 4,4 intentos fallidos. Muchos ya habían olvidado la posibilidad de tener un hijo y este programa les ha abierto una nueva oportunidad.

Pero la otra mitad de los casos corresponden a indicaciones con un importante componente social: mujeres sin pareja masculina, personas que habían iniciado trámites para la adopción de un niño y parejas que no habían contemplado tratamientos de reproducción por sus creencias religiosas o éticas.

España tiene una Ley de reproducción asistida más liberal que la de muchos otros estados. Así, las pacientes que hemos atendido proceden de 28 países distintos.

¿En qué consiste el tratamiento?

Es muy sencillo e indoloro. La paciente acude al centro un día para la primera visita y otro para la transferencia de embriones, solo dos días. En la primera visita se comprueba el buen estado de salud de la mujer para poder llevar el embarazo y se realiza una ecografía y una prueba del catéter con el que se transferirán los embriones a través del cuello del útero.

Podemos dividirlo en cinco pasos:

1. El tratamiento consiste en unos parches de estrógenos que se aplican en la piel desde el 1er día de la menstruación. En pocos días el útero ya está preparado para recibir los embriones.
2. Se hace una ecografía para valoración de morfología y grosor endometrial sobre 7º-9º día del ciclo. La paciente se la hace donde vive.
3. Se programa la transferencia para pocos días después. Los resultados son mejores así. Antes del transfer se añade tratamiento con progesterona vía vaginal.
4. Pueden transferirse de 1 a 3 embriones, según deseos de los pacientes, pero habitualmente ponemos 1 o 2. No es necesario ingreso y creemos que tampoco es necesario reposo, la paciente puede viajar al salir de la clínica.
5. Pasados 14 días, si la prueba de embarazo es positiva se incrementan las dosis de estrógenos y de progesterona y deben mantenerse durante 2 meses, ya que no ha habido ovulación, es un ciclo de sustitución hormonal.

Se trata de una gestación normal, los controles de embarazo se llevan a cabo por su ginecólogo habitual.

Reproducción asistida postmortem

Hay personas que mueren y dejan semen o embriones congelados. En ocasiones son una «herencia genética».

Un varón, por ejemplo, puede congelar su semen antes de tratamientos como la quimioterapia que podrían afectar la función del testículo, o bien congelarlo para una fecundación in vitro porque prevé que el día en que se recuperen los ovocitos le resultará difícil llevar el semen al centro de reproducción por estar de viaje, por vivir lejos de la clínica o por tener dificultades para obtener el mismo.

Puede ocurrir también que se hayan congelado embriones, puesto que en un ciclo de fecundación in vitro con frecuencia se generan más embriones de los que se transfieren a la mujer y quedan «embriones sobrantes congelados».

Las clínicas de reproducción tenemos esto en cuenta sistemáticamente. Para proceder a la congelación de semen o de embriones, el paciente debe firmar primero un consentimiento en el que deja constancia de cuál quiere que sea el destino de los mismos en caso de fallecimiento: destrucción o utilización, y en este caso el nombre de la mujer que podrá utilizarlos.

La mujer que recibe esta posible herencia y desea tener un hijo tras el fallecimiento del varón, se encuentra en una situación legal que varía según los países.

En España no es necesario que la mujer sea la esposa legal del fallecido, pero tiene un plazo de 12 meses para quedarse embarazada. Pasado este tiempo, el notario debe saber definitivamente quiénes son los herederos de los bienes materiales del difunto.

En mi trabajo presencio cada día la cara de sorpresa de los pacientes cuando leen los documentos. He vivido de cerca situaciones especiales como atender a una recién viuda de Irlanda que nos pedía ponerse embriones de su marido trasladados desde allí porque en su país no podía hacerlo, o padres desesperados por intentar tener descendencia de un hijo muerto y no poder porque en el consentimiento, este no había dejado ningún nombre o la viuda sencillamente no quería.

Es curioso que los profesionales que estamos tan en contacto con el inicio de la vida tengamos que solicitar diariamente a nuestros pacientes sus deseos para el final de la misma.

14

La transferencia de embriones y la espera hasta la prueba de embarazo

Rocío, como es joven y delgada, ha llevado una pauta de estimulación con 200 unidades de gonadotrofinas, de las hormonas que estimulan la ovulación. En un primer momento dijo que no se atrevía a pincharse ella misma, pero Anabel, mi enfermera de toda la vida, insistió en enseñarle y lo ha hecho perfectamente. Además está contenta de su grado de superación.

Ella no pensaba decirle a nadie que estaba en tratamiento, sin embargo, el primer control coincidió en sábado, con Jaime jugando fuera, así que no pudo reprimirse más y se lo dijo a su amiga Lourdes y también a sus padres. ¡Ese día vinieron todos a la ecografía!

Jordi, su padre, me decía que ahora los jóvenes hacen las cosas al revés, que lo lógico era casarse y después tener un hijo y que no entendía eso de hacerse in vitros antes de la boda pero... . que seguro que se casarían pronto. Su madre, Nana, todavía estaba con «los ojos a cuadros» por la noticia sorpresa y por la precipitación con que se desarrollaba todo, el mismo shock no le dejaba decir nada. Y Lourdes, tras darse cuenta de que sus consejos no habían funcionado, la apoyaba porque veía a Rocío más feliz que nunca.

A lo largo del ciclo se desarrollaron 11 folículos y tuvo suerte porque la recuperación de ovocitos cayó en martes y pudieron venir los dos a la clínica.

Se recuperaron 9 ovocitos maduros y al día siguiente la llamé para decirle que se habían fecundado 6. En el día +2 todos los embriones están divididos y con nota: 10, 10, 9, 9, 7,6. En el día +3 todos los embriones están divididos y con nota: 10, 10, 9, 7, 6,6. Les digo que en el día +4 no los voy a llamar porque no se pueden valorar. Sin embargo, como me insiste, le explico que en ese momento todas las células se juntan para pasarse información unas a otras y ponerse de acuerdo en su diferenciación y sobre qué tejido va a formar cada una. En el microscopio únicamente se ve lo que llamamos mórula porque se parece a una mora. Por tanto hay que esperar al día siguiente para ver si los embriones son capaces de hacer esta función correctamente hasta formar un blastocisto.

Como Jaime estuvo algún día fuera, cada noche hablaban por skype y comentaban las imágenes de los embriones en cultivo.

El día del transfer Rocío y Jaime llegan nerviosos, pero en cuanto me ven sonreír se relajan. Les digo que estoy muy contenta porque tenemos tres blastocistos con muy buen aspecto y que siguiendo sus deseos vamos a poner dos y a vitrificar uno.

A pesar de todo lo que les habíamos informado en la visita de biología les cuesta entender que sea normal que tres de los seis embriones no hayan evolucionado correctamente.

Al salir del despacho para dirigirse a la sala de transfer, Jaime le dice al oído a Nuria, mi secretaria, que si les hubiéramos puesto el himno del Barça en vez de la música de Antonio Orozco a lo mejor hubieran evolucionado todos los embriones.

La transferencia embrionaria es el último paso en el proceso de fecundación in vitro y tiene una importancia decisiva en el resultado final. Consiste en depositar los embriones de la forma más delicada posible en el interior del útero. Técnicamente, la transferencia de embriones se realiza por vía vaginal, sin anestesia y de forma ambulatoria. Bajo control ecográfico, se introduce con suavidad un catéter a través del cuello del útero y se depositan los embriones en el interior de la cavidad uterina. Es necesario que la paciente acuda con la vejiga llena para poder visualizar el paso del catéter. Luego, permanece en reposo unos minutos y ya puede hacer vida normal.

Los procesos de reproducción asistida pueden generar altos niveles de ansiedad, los momentos de más estrés aparecen durante la fecundación y evolución del embrión en el laboratorio y después de su implantación, mientras se espera el resultado de la prueba de embarazo.

El reposo después de la transferencia de embriones

En 2012 presentamos un trabajo precioso en el cual se ve como el útero mueve a los embriones para que se implanten correctamente. Hicimos un estudio en el que se observa lo que sucede cuando los embriones llegan al útero, tanto de forma natural a través de una trompa, como tras una fecundación in vitro a través del cuello uterino.

El endometrio (capa interna del útero) realiza movimientos y, en la fase de llegada del embrión al mismo, probablemente su función consiste en mantenerlo dentro de la cavidad uterina, impedir su expulsión así como su implantación en localizaciones inadecuadas.

Tras la transferencia de embriones muchas pacientes se sienten culpables de no hacer el reposo suficiente, especialmente si el ciclo no finaliza con éxito. A nuestras pacientes les decimos que no es necesario el descanso tras la transferencia de embriones ni en los días siguientes, pero se sorprenden de esta información y no nos hacen mucho caso. Tienen miedo de que al levantarse o al hacer cualquier esfuerzo como ir al baño los embriones «se caigan», creen que deben estar pendientes de mantenerlos dentro del útero. Esto genera ansiedad y se suma al estrés de no poder hacer todo el reposo que desearían. Además coincide en la fase del ciclo de mayor nerviosismo y labilidad emocional, ya que es la de espera hasta la prueba de embarazo.

Estos hallazgos restan importancia al reposo y apoyan la movilización precoz de las pacientes después de la transferencia de embriones. Será una gran ayuda saber que la implantación no depende de nada que puedas hacer o dejar de hacer y que, una vez los embriones han llegado al útero, nuestro endometrio se encarga de todo lo demás... **¡Es como si los acunara para que se implanten en un buen sitio!**

Es una espera llena de deseo y de esperanza de que los embriones se implanten, pero llena de miedo al fracaso y con las emociones a flor de piel.

¿Qué se puede hacer para favorecer la implantación? ¿Qué se puede hacer para evitar la ansiedad?

Estas preguntas las hacen todas las pacientes. Mi consejo es hacer vida lo más parecida a la habitual y ocupar la mente. Las chicas que deciden dejar de trabajar, se pasan todo el día pensando en qué va a pasar y esto genera mayor ansiedad aún. Habitualmente comentamos que pueden tener relaciones sexuales evitando los primeros días penetraciones muy animadas, pero lo cierto es que lo decimos por costumbre, sin embargo no tiene ninguna base real. En cualquier caso, la tendencia de las pacientes es más bien la de intentar evitarlas porque no les apetece nada...

Hay avances continuos en los laboratorios de fecundación in vitro para mejorar la calidad de los embriones, pero existen muy pocos en cuanto a la implantación del embrión. **Tal y como dicen las revisiones Cochraine al día de hoy, todos los tratamientos puestos en práctica no han podido demostrar científicamente su eficacia: tratamientos como por ejemplo el scratching endometrial (hacer una biopsia del endometrio en el ciclo anterior, para activarlo), la cirugía de la cavidad uterina (para corrección de úteros con forma de corazón), la extirpación de trompas con hidrosalpinx, el análisis de la receptividad endometrial de ese ciclo, los anticuerpos antiparentales o el uso de medicación diversa como los anticoagulantes (aspirina, heparina).**

Cada vez que se hace un ciclo de FIV hay nuevas oportunidades de embarazo. Si previamente al mismo la paciente se ha hecho alguna de estas terapias, es lógico pensar que ha sido gracias a ella, pero no es así. Suele deberse sencillamente a que este embrión ha implantado, pura estadística.

Creo que es importante vivir estos días con positividad e ilusión y evitar la ansiedad. A este respecto yo he puesto mi granito de arena en dos aspectos:

Dado que la falta de control o información es uno de los desencadenantes del estrés durante los días de la FIV, el hecho de poder ver la evolución de sus embriones en directo hace que los padres lleguen al día del transfer mucho más tranquilos.

Ahora estamos realizando un estudio para analizar el efecto de las vibraciones musicales vía vaginal sobre la implantación. Es un ensayo clínico que incluye a 900 pacientes que se ponen Babypod (dispositivo vaginal que permite emitir música en el interior del útero materno) 20 minutos por la mañana y por la noche desde el día del transfer hasta la prueba de embarazo. Además les pedimos que nos escriban cada día una frase sobre cómo se sienten y rellenan una encuesta sobre su estado de ánimo. Queremos ver si la estimulación del endometrio mediante la música puede mejorar la receptividad del endometrio. Estoy deseando completar el estudio para poder contaros las conclusiones en cuanto al éxito del ciclo, sin embargo, a día de hoy, con casi 500 encuestas recibidas, nos llama la atención que más del 80% de las pacientes que han participado en el estudio manifiestan que, utilizando el dispositivo, se sintieron más tranquilas e incluso más optimistas, porque les daba la sensación de que estaban haciendo algo útil para contribuir a que prosperara el embarazo.

La mayoría de ellas ya habían hecho transferencias de embriones previas y refieren que el uso del dispositivo les reduce la ansiedad. En los ensayos clínicos siempre se deben constituir grupos de control para poder comparar los resultados, por eso a algunas de las pacientes que han aceptado participar les toca no llevar el aparato y las que les toca llevarlo, la mitad de esos dispositivos no llevan altavoz —pero las pacientes no lo saben, ellas si oyen la música a través de los auriculares—, así se comprueba si hay efecto placebo.

Como calculo que cuando se publique este libro ya se habrá acabado el estudio os cuento que la reducción de ansiedad se produce en las que llevan Babypod tanto si emite música como si no.

Marta ha hecho la inseminación con semen de banco y también lo está pasando regular. Siente incertidumbre por saber si se va a quedar embarazada, a la vez ilusión, porque es algo que desea de todo corazón, y temor por cómo va a reaccionar su entorno cuando lo cuente. En su caso, el nerviosismo es mayor del habitual porque no acaba de aceptar el «no conocer al donante». El día de la inseminación tuvimos la siguiente conversación:

—¿Se puede elegir el donante de semen? —me preguntó Marta.

—No. La Ley Española dice que no puede conocerse la identidad del donante, tiene que ser anónimo. En otros países sí se permite.

—Pero, ¿puedo al menos saber cómo es?

—Pueden saberse sus características físicas y cualquier otro dato a excepción de datos considerados personales que pudieran conducir a revelar su identidad. Tu donante tiene 20 años, es de piel clara, ojos marrón oscuro, pelo castaño claro, mide 1,81 y pesa 72 Kg. Su grupo sanguíneo es A Rh+. He visto su foto y me parece muy guapo, eso sí, debes tener confianza en mí y en mi buen gusto.

—Ya sé que les hacéis todo tipo de pruebas médicas. Pero, ¿qué haré cuando el pediatra me pregunte sobre sus antecedentes médicos? Mis amigos Luis y Ana tienen muchos problemas con esto porque su hijo es adoptado y no les han dado información sobre sus padres biológicos.

—No aceptamos como donantes a personas con antecedentes médicos importantes, pero puede ocurrir que los descubra posteriormente a la donación. Mira, es frecuente que nos llamen diciendo, por ejemplo, que a su abuelo le han diagnosticado cáncer de colon y que aconsejan a los descendientes controles especiales. En esos casos, nosotros trasladamos la información a los pacientes.

—¿Y si necesita un trasplante de médula o de riñón?

—Para algunos trasplantes como el de riñón solo hace falta que coincida el grupo sanguíneo y el RH, así que puede ser cualquier familiar o amigo. Te refieres más a un trasplante de médula en el que es necesario que exista compatibilidad inmunológica. Bueno, pues en estos casos son compatibles el 25% de los hermanos. Los padres nunca son compatibles porque el hijo solo tiene la mitad de su código genético. Ya no se mira a los padres. Si quisieras un segundo hijo te aconsejamos dejar a tu nombre una muestra del mismo donante para que tus hijos sean hermanos biológicos. Pero si no lo fueran tampoco se descubre, porque cuando te hacen un análisis de compatibilidad inmunológica solo se mira eso. No sale un diagnóstico que diga: «No son hermanos». O «no es su padre».

—¿Y si quisiera un donante conocido?

—Si te empeñas es eso, hay bancos americanos y daneses en los que puedes elegir tú el donante por internet. Hacemos la estimulación ovárica aquí y viajas a nuestro centro de Irlanda el día de la inseminación. Hay muchas otras chicas que dan gran importancia a esto. No eres la única.

—No, no, ¡qué lío! ¿Y si pido semen por internet?

—Es una posibilidad. Ya sé que muchos compañeros míos están en contra porque se salta las leyes y porque consideran que tiene muchos riesgos. Pero yo personalmente creo que son bancos de semen serios. Nosotros también les compramos muestras de semen con características especiales de razas asiáticas o negras. Creo que la libertad individual debe estar por encima de las leyes del país en que vives. El problema que le veo son los malos resultados en cuanto a embarazos conseguidos.

Marta finalmente me pregunta a qué se dedica su donante y le digo que estudia empresariales. Parece que se queda tranquila o resignada.

Isabel ha respondido a la medicación con 8 folículos. Se recuperaron los 8 ovocitos, siendo 6 maduros. Se fecundaron 5 y al tercer día de evolución fueron aptos para la biopsia 4. Hablo con ella y su marido estos días y les digo que vamos bien, que ahora solo nos hace falta un poco de suerte para que alguno esté cromosómicamente bien.

El día del transfer llegan bastante tranquilos porque han visto en su móvil que tres embriones están en estado de blastocisto, lo perfecto al quinto día de desarrollo. Ellos se han informado muchísimo y han seguido el desarrollo de sus embriones casi paso a paso.

A la misma hora que los hemos citado yo recibo el informe. En estas 48 horas se han analizado todos los cromosomas y vamos a transferir los embriones en fresco.

Pero ¡uf!, están todos alterados.

Efectivamente, el aspecto morfológico de tres de ellos es muy bueno, pero uno tiene trisomía 21 y 13, y los otros dos anomalías en más de 3 cromosomas. Cuando ven mi cara, antes de que les diga nada ya se echan a llorar los dos. Es una situación muy triste. Para mí también, así como para todos los médicos. Muchas veces pediríamos que entrara otra persona para consolarnos a los tres...

Les informo del resultado y la tristeza da paso a la ternura. **Javier** abraza a Isabel mientras le dice que no pasa nada, que lo van a volver a intentar. **Isabel** le contesta que cuanto antes y yo les digo que lo han hecho todo perfecto y que estoy con ellos en esto. Vamos a hacer otro ciclo dentro de dos meses.

Decálogo para sobrevivir a la montaña rusa emocional

Ante el diagnóstico de esterilidad aparecen sentimientos de pena, negación, rabia, miedo a ilusionarse, temor a no conseguir el embarazo y ansiedad. Hemos hecho este decálogo para intentar que el deseo de tener un hijo sea más fuerte que los inconvenientes y para no perder la ilusión durante el proceso.

1. Reconocer y aceptar los sentimientos. Es frecuente sentir desánimo, negación, culpabilidad, ansiedad, miedo a ilusionarte, miedo a fracasar en los intentos, cansancio y... muchas otras emociones, pero son transitorias.
2. Mantener una actitud positiva, tomarse el proceso como un reto y evitar el sentimiento de víctima.
3. Visualizar el objetivo imaginándose abrazando al bebé.

4. Evitar que el tratamiento afecte a la relación de pareja hablando del tema solo unos minutos cada día.

5. Mantenerse ocupada, procurando seguir trabajando sin guardar reposo innecesario; distraída el tiempo pasa más rápido.

6. Comentar con el entorno que te estás haciendo tratamiento, pero decidiendo tú cuándo y cómo hablar del tema. Pedir a los familiares y amigos discreción y respeto.

7. Intentar evitar temporalmente a las embarazadas y a los bebés, pues es normal sentir rechazo o tristeza ante ellos.

8. Tomarse el proceso como una forma realmente romántica de tener hijos.

9. Recordar que con los avances actuales, el 95% de las mujeres que hacen tratamiento de reproducción consiguen ser madres.

10. No olvidar que hay que luchar hasta el final, las guerras no siempre se ganan en la primera batalla.

En caso de necesidad o de pérdida del control de la situación, pedir ayuda psicológica es la mejor opción.

15

La donación de ovocitos

Isabel, en su primer ciclo, había respondido bien en cuanto a desarrollo folicular y en cuanto al aspecto de sus ovocitos en el microscopio, pero tuvieron todos los embriones alterados. En este aspecto el ciclo fue peor de lo esperado. Para descartar una posible contribución masculina, antes de repetir el tratamiento hicimos un estudio de FISH en espermatozoides de **Javier.** Salió normal.

En el segundo ciclo cambiamos de protocolo de estimulación e **Isabel** respondió a la medicación con 9 folículos. Se recuperaron los 9 ovocitos, siendo 7 maduros. Se fecundaron 5 y al tercer día de evolución fueron aptos para la biopsia 3. Pero nuevamente los tres embriones presentaron alteraciones cromosómicas.

Esta vez la escena del día del transfer fue diferente, la incredulidad dio paso al enfado y digamos que a pedirme explicaciones... a mi y a Carolina Castelló (es la jefa del laboratorio de FIV y habían tenido la entrevista informativa de biología con ella). Después, ya más calmados hablamos de cómo seguir, de si repetir o pasar a donación de ovocitos.

Por una parte, **Isabel** quería intentarlo nuevamente, pero por otra quería quedarse embarazada cuanto antes. Les dije que el nivel de su hormona antimulleriana y su respuesta ovárica nos hacían pensar que había óvulos capaces de dar lugar a un embrión sano, pero que la mala suerte, o algún otro factor ovárico de los que no sabemos diagnosticar, podían hacer que se repitiera el mismo resultado. Les pedí que se tomaran unos días para reflexionar.

Según mi experiencia, cuando a una mujer le digo que necesita ovocitos de donante, **emocionalmente** pasa por las siguientes fases:

1. Incredulidad: *Esto no me puede pasar a mí, estos análisis están equivocados, este médico no sabe nada...*
2. Búsqueda de culpables: ¿Por qué mi ginecólogo no me lo avisó antes? La culpa es de mi pareja que quería esperar...
3. Abandonar la idea, renunciar: *Pues si no puede ser con mis óvulos lo dejo.*
3. Reflexionar sobre lo que le han dicho, que puede ser madre, que ella va a estar embarazada y a parir... Y por supuesto que el niño es suyo.
4. Aceptarlo con ilusión y gratitud hacia la donante.

Hay mujeres que se quedan bloqueadas en alguna de estas fases y otras que las pasan en más o menos tiempo, depende de las circunstancias, del carácter, de la forma que tiene de enfrentarse habitualmente a los problemas y de su grado de deseo de ser madre.

Una vez que lo ha aceptado y decidido, lo primero que suele pensar es en quién será la donante de ovocitos. Cuando los ginecólogos decimos que ese nivel tan bajo de hormona antimulleriana o ese nivel tan alto de hormona FSH nos indica que solo vamos a conseguir éxito con ovocitos de donante, nos referimos siempre a estadísticas de resultados de FIV. Esa paciente podría quedarse embarazada de forma natural y tener un aborto o bien un bebé sano. Pero si requiere técnicas de reproducción asistida, necesitamos una reserva ovárica determinada para poder realizarlas con éxito.

Cuando doy la mala noticia de que los análisis indican fallo ovárico siempre les explico cómo creo que pueden ser sus sentimientos al respecto del «duelo genético». Creo que debo hacerlo porque les ayuda. De hecho, después lo agradecen mucho, sin embargo, casi siempre se van de esta visita digamos que mirándome mal, por dos razones: Una, que están en la fase de incredulidad, deseando repetir una vez más los análisis y en otro laboratorio o deseando consultarlo en internet o a otro médico. Otra, que no les gusta nada lo que les digo a sus parejas.

Os cuento. Ya os habéis dado cuenta de que soy feminista, pero también consciente de las grandes diferencias que hay entre los hombres y las mujeres en cuanto a la forma de relacionarnos con el entorno y con nosotros mismos.

A la paciente le digo que la decisión de si acepta o no la donación de ovocitos la tome ella, sin hablar con su marido. Debe ser ella quien tiene que valorarlo en solitario, reuniéndose con ella misma, sus sentimientos y pensamientos, y después decirle a su pareja lo que desea hacer. Una vez tomada la decisión debe pedirle a su pareja que la apoye en ello. Cuando esto sucede la inmensa mayoría de los hombres están acuerdo con la opción tomada por su mujer.

La conversación habitual suele ser esta:

Ella: Bueno, cariño, si no puede ser, no puede ser. Lo dejamos.

El: Lo que tú digas. Yo te quiero igual y no es necesario tener hijos a cualquier precio.

Ella: ¡Claro, como el problema no es tuyo! Nos quedamos sin hijos por mi culpa y tú no me lo vas perdonar.

El: Bueno, pues pensémoslo. Tampoco queríamos la FIV y la hemos aceptado. No tiene por qué saberlo nadie, no quiero que renuncies a algo que tu deseas tanto.

Ella: ¡Qué fácil, eh! Como no eres tú el que necesitas donante...

El hombre se convierte en una pared sobre la que rebota la rabia de esa fase y ellos no saben cómo gestionarlo. A ellos les digo que para cualquier cosa que contesten necesitarían tener delante a su abogado. Y a ellas les parece mal que diga esto a sus parejas. Es lógico.

Isabel y Javier ya han reflexionado y los tengo delante. Son un cielo y vienen con los deberes hechos. Sonriendo le pregunto a ella en qué fase emocional está.

—Pues estoy entre la cuarta y la quinta. Tengo un montón de preguntas y de dudas. Me preocupa saber si tengo que decirlo a alguien.

—A nivel médico creemos que es aconsejable que lo sepa el ginecólogo porque las pruebas de screening de anomalías cromosómicas del embrión se basan en la edad cronológica y, por tanto, hay que hacerlas teniendo en cuenta la edad de la donante.

Respecto a si hay que decirlo o no a los hijos es una decisión vuestra. La mayoría no lo dicen. Además, al ser una donación anónima, tampoco podría buscar a la donante. Pero es un tema personal de cada pareja. Os recomiendo un libro que se llama: *Revelaciones, filiaciones y biotecnología*, de Maria Isabel Jociles, que habla de esto en profundidad.

—¿En qué consiste el tratamiento?

—La fecundación in vitro con ovocitos de donante es un tratamiento muy sencillo y nada molesto para ti porque la fase de estimulación y la punción ovárica la realiza la donante.

Tú te vas a poner unos parches de estrógenos que se aplican en la piel desde el primer día de la menstruación. En pocos días el útero ya está preparado para recibir los embriones. Así que pasados unos siete u ocho días haremos una ecografía para valorar la morfología y grosor endometrial: deberá de tener aspecto como de tres líneas y medir más de 5 mm.

La recuperación de ovocitos de tu donante, con la que hemos sincronizado tu ciclo, suele ser pocos días después. Ese día se realiza la fecundación in vitro. Aseguramos al menos 6 ovocitos de calidad óptima. Si tras la observación al microscopio no se da esta circunstancia, se reasigna con la donante de reserva.

Se programa la transferencia para pocos días después y antes del transfer se añade tratamiento con progesterona vía vaginal. Si la prueba de embarazo es positiva se incrementan las dosis de estrógenos y de progesterona que deben mantenerse durante 2 meses, ya que no ha habido ovulación. Es un ciclo de sustitución hormonal.

—¿Qué posibilidades de embarazo tengo?

—La FIV con donación de ovocitos es la técnica de reproducción con mayores posibilidades de éxito por ciclo. Los embriones tienen un gran potencial de implantación porque proceden de ovocitos de una mujer joven, sin problemas de esterilidad y el útero se prepara hormonalmente de forma óptima para recibirlos.

—¿Hay mujeres que se arrepienten?

—Antes de hacer el tratamiento vemos pacientes que renuncian porque no lo aceptan. Pero lo cierto es que una vez iniciado el tratamiento, durante el embarazo y tras el nacimiento del niño, la aceptación es total y la tendencia es a olvidarlo. Lo sienten como su hijo en absolutamente todos los aspectos. Con frecuencia nos dicen que dan por bueno todo lo que ha pasado porque este niño era el que esperaban, que no podría ser otro. **Javier** ¿cómo estás tú?

—Estoy muy contento con la decisión de mi mujer de pasar directamente a un tratamiento con muchas posibilidades de éxito. Ella es quien va a dar la vida y será la mejor madre del mundo.

16

¡Creo que no lo voy a conseguir nunca!

Cuando la fecundación in vitro falla una y otra vez

¿Por qué puede fallar la fecundación in vitro?

Me sorprendo al ver lo que acabo que escribir. Llevo más de 30 años dedicada a la reproducción asistida y con frecuencia pienso todo lo contrario. La pregunta que me planteo más es: ¿cómo es posible que esto funcione? ¡Aún sigo pensando que cada niño es un milagro!

La FIV puede fallar porque los embriones no eran buenos o porque el útero no estaba adecuadamente preparado para recibirlos. Pero aunque ambos estén en buenas condiciones tampoco se implantan todos ellos, porque no siempre se ponen de acuerdo el endometrio y el embrión. Es un proceso complejo que puede tener tres tipo de fallos:

1. Los propios de nuestra naturaleza, la reproducción humana es imperfecta.
2. Fallos de la técnica en cualquier punto del proceso.
    Por poner un ejemplo: si dentro del útero hay sangre se dificulta la implantación. Esta sangre puede llegar por un transfer difícil, por erosionar el endometrio con el catéter

durante la transferencia o desde el abdomen tras una recuperación de ovocitos en la que la paciente haya sangrado.
3. La reproducción asistida es una ciencia que ha evolucionado muchísimo en los últimos años, pero todavía hay multitud de circunstancias y procesos que desconocemos.

Por ejemplo, embriones preciosos y cromosómicamente normales de una chica de 41 años pueden no implantar porque les falte capacidad a sus mitocondrias. Las mitocondrias son los orgánulos celulares que producen la energía necesaria para dividirse. Su potencia es menor con el paso de los años, así la capacidad de seguirse dividiendo un embrión se reduce con la edad. Pero no sabemos cómo analizarlo previamente.

Me encantaría saber quién es y donde está el «director de orquesta» que marca el ritmo de división de las células de un embrión, y cómo se produce la diferenciación de estas células para formar cada una un tejido diferente.

A nivel práctico, en mi experiencia, puedo decirlos que la mayoría de los fallos se deben a que no se ha llevado a cabo adecuadamente el diagnóstico de la causa de esterilidad antes de hacer el ciclo, es como empezar la casa por el tejado. Siguiendo las normas de la medicina y de la lógica, lo primero es el diagnóstico, luego el tratamiento.

Con un tratamiento de FIV estándar se puede conseguir que muchas mujeres se queden embarazadas, pero si no se ha hecho el diagnóstico correcto de la causa de esterilidad es posible que no sea eficaz y que se repitan ciclos sin éxito. Es una pena que no se apliquen las nuevas técnicas de diagnóstico.

Muchos pacientes que recibimos en los centros de referencia tienen una larga historia de esterilidad. Parejas que han realizado una media de varios ciclos de fecundación in vitro previos sin éxito. El principal problema se centra en un diagnóstico incompleto o erróneo. Por ejemplo, diez años de esterilidad y vienen a FIV con donación de ovocitos por tener la mujer ya una edad avanzada y, sin embargo, la causa de la esterilidad es masculina. Si no se estudia correctamente al varón, tampoco tendrá éxito con ovocitos de donante.

¿Cómo saber si los embriones están bien?

Cuando no se consigue un embarazo evolutivo, la causa puede ser embrionaria. La FIV puede fallar porque el porcentaje de embriones con anomalías cromosómicas sea mayor que el esperado, por edad ovárica superior a la cronológica o por anomalías genéticas en los espermatozoides. Hicimos un estudio con 700 pacientes que en la primera visita referían esterilidad de más de 8 años de evolución, con una media de 4,7 ciclos de FIV sin embarazo o con abortos. En la mayoría de estos casos, el 71%, la causa era la mala calidad de los embriones debida a factor masculino. En muchos casos se trataba de factor masculino oculto, no diagnosticado previamente. La medicina embrionaria nos permite analizar genéticamente los embriones mediante el Diagnóstico Genético Preimplantacional. Cuando esta técnica se aplica en pacientes con fallos en fecundación in vitro se constata que muchos de estos embriones tienen alteraciones en los cromosomas, y sabemos también que estas alteraciones aumentan conforme avanza la edad de la mujer y en varones con mala calidad del semen.

La medicina embrionaria también hace posible determinar si la causa de estas alteraciones es de origen masculino, mediante pruebas que analizan el proceso de separación de los cromosomas a nivel de testículo (meiosis), la composición cromosómica de los espermatozoides (FISH en espermatozoides) y el estudio de la fragmentación del DNA espermático. Todas estas técnicas nos permiten conocer por qué han podido fallar anteriores intentos de embarazo y así favorecer la posibilidad de que nazcan niños sanos.

¿Cómo saber si tengo problemas para la implantación?

Si no se ha conseguido embarazo y los embriones han tenido buen aspecto conviene hacer un estudio de implantación. Sabemos que hay múltiples sustancias y factores implicados en el proceso que permiten que el embrión se adhiera y penetre en el endometrio para implantarse, pero en su mayoría todavía son desconocidas.

Las pruebas de que disponemos para llevar a cabo el estudio de la receptividad endometrial son: histeroscopia, biopsia de endometrio, cultivos de Chlamydias, Ureaplasma y Mycoplasma, y ecografía Doppler-color. Se realizan para descartar anomalías en la cavidad uterina (por ejemplo, adherencias secundarias a un legrado por aborto), infecciones (estas endometritis no suelen producir síntomas) y alteraciones en la vascularización. La mayoría tienen tratamiento fácil y eficaz.

¿Por qué hay esterilidad de tan larga evolución? ¿Por qué una pareja puede tardar tanto tiempo en conseguir ser padres?

Ante la esterilidad hay personas que la asumen y no hacen tratamientos médicos, otras que los dejan tras perder la esperanza y otras que no paran de luchar. La medicina de la reproducción todavía no tiene una explicación para todos los casos de esterilidad o de abortos de repetición, pero es una de las especialidades que más está avanzando en los últimos años.

Las nuevas técnicas de diagnóstico y de tratamientos complementarios en la FIV mejoran los resultados y permiten ser padres cada vez a más personas. Pero no siempre se realizan.

En la actualidad, si la pareja quiere y si tiene la posibilidad de acceder a medicina bien hecha, se consigue en casi todos los casos el éxito, aunque en algunos es preciso renunciar a su genética.

Para los médicos también es desesperante ver que no conseguimos el objetivo y con frecuencia se opta por **tratamientos empíricos**. Son los que se indican sin tener un diagnóstico de certeza, por ejemplo, ante pacientes con abortos de repetición dar aspirina infantil aunque los análisis no evidencien anticuerpos anti tejido embrionario. Cada temporada está uno de moda. Si no lo explicamos abiertamente a los pacientes supone una falta de ética y crear falsas esperanzas. Algunos de ellos además son caros, dolorosos o no sabemos sus riesgos a posteriori.

El varón es responsable del 66% de los casos de esterilidad conyugal. En el 33% de los casos lo hace como único responsable, y en un 33% asociado al factor femenino. A pesar de ello, la mayoría de los centros de reproducción carecen de andrólogo, de médicos dedicados exclusivamente a esta disciplina nueva y en continua evolución, por lo que el estudio del factor masculino es insuficiente o inexistente.

El pilar básico sobre el que se basa el diagnóstico del factor masculino es el seminograma. Sin embargo, un seminograma normal no es garantía de fertilidad, estimándose que aproximadamente el 15% de los varones estériles presentan seminogramas normales. Esta circunstancia conlleva que de entrada se descarte al varón como responsable de la esterilidad conyugal, simplemente porque el seminograma es normal.

No obstante, existe una patología oculta del espermatozoide no detectable a través de un análisis de semen normal. Defectos de la membrana del espermatozoide, alteración de la reacción acrosómica (el acrosoma es una bolsita situada en la cabeza del espermatozoide que lleva las sustancias que tienen que perforar la membrana externa del ovocito para entrar en su interior y fecundarlo), fragmentación de las cadenas del ADN espermático, defectos del centrosoma, o transportar un número alterado de cromosomas, son algunas de las anomalías espermáticas no detectables en el seminograma rutinario.

¿Por qué en muchos centros no se estudia en profundidad el factor masculino?

Por una parte, cuando se generalizó la microinyección espermática ICSI pareció que ya quedarían solucionados todos los problemas de la esterilidad masculina y se produjo un freno muy importante en la investigación del espermatozoide.

Por otra parte, en los países con leyes que prohíben el DGP y la donación de gametos, no indican estos métodos de diagnóstico por el hecho de no poder ofrecer otras alternativas de tratamiento a los pacientes.

Causas de abortos

Los abortos pueden ser debidos a diferentes causas. Gracias a los avances en las técnicas de reproducción asistida actualmente se puede tener una información más completa de algunas de las causas de abortos hasta ahora poco conocidas por el ginecólogo no especializado en este tema.

Las pruebas clásicas de estudio se orientan a descartar el origen hormonal, infeccioso, anatómico e inmunológico, hay que tener en cuenta que el 60% de los abortos de repetición son de causa genética.

Cuando una paciente ha tenido dos abortos o más y no se ha diagnosticado y tratado el problema, las probabilidades de que se repita son elevadas y se incrementan en proporción directa con el número de abortos previos.

Hoy en día disponemos de otras pruebas que van encaminadas al estudio del propio embrión y de la capacidad de la mujer para permitir la implantación y que el embarazo llegue a término. Con frecuencia estas causas de aborto son las mismas que provocan fallos repetidos en la fecundación in vitro y tienen por tanto que estudiarse y tratarse de forma similar.

Además del problema médico, la mujer que ha tenido abortos se enfrenta a una situación emocional francamente difícil. Al sentimiento de frustración se une el tener que comunicarlo a su familia y amigos y el miedo a que se repita de nuevo. La ilusión de tener un hijo se enfrenta a la posibilidad de un nuevo fracaso y vive esa situación con una gran incertidumbre y ansiedad. En estas situaciones, el apoyo psicológico ofrecido por especialistas en el tema es fundamental.

¿Hasta cuándo debo intentarlo?

Es muy difícil contestar a esta pregunta porque influyen muchos factores. Aunque la mujer lo desee de todo corazón, hay circunstancias que se lo pueden poner muy difícil por motivos económicos, morales, leyes de su país, posibilidad de acceso a centros buenos, poco apoyo de su pareja o simplemente verse incapaz de asumir un nuevo fracaso.

Yo también me quería quedar embarazada el primer mes, era tipo Isabel. Decidí que era el momento en el último año de especialidad y como no me quedé el primer mes, me di plazo de otro y ya había comprado medicaciones para inducirme la ovulación por si acaso. No hicieron falta porque el óvulo de ese mes se llama Borja y el de dos años después Bruno.

Lo tuve fácil pero estaba dispuesta a hacer TODO para ser madre. En secreto os cuento que tenía pesadillas en las que iba a un centro comercial con guardería y robaba un bebé... .

Adoro los niños, de todas las edades, incluso los que aún tienen solo dos células. Quería tener muchos pero me di cuenta que la pasión por mi profesión, la medicina, me lo impedía y ahora tengo tres pasiones, ellos dos y mi trabajo. Además, cada mañana, cuando veo las pruebas de embarazo siento que ayudo a que nazcan muchos niños y encima no tengo que llevarlos yo al colegio.

A nivel médico también es difícil aconsejar hasta cuándo deben dejar de hacer tratamientos porque constantemente mejoran las técnicas y porque vivimos en un mundo «google», con acceso a información y con la posibilidad de cambiar de país para acceder a todo tipo de tratamientos. Así, incluso las pacientes que no conseguimos de ninguna forma que se queden embarazadas, pueden optar por la subrogación uterina.

Vientre de alquiler

La maternidad subrogada es un tema muy importante y controvertido que puede valorarse de muchas formas.

Cuando salen noticias sobre reproducción suelen llamarme periodistas para comentarlas. A veces leo cosas que les he dicho hace diez años y me quedo sorprendida de cómo ha cambiado mi criterio. Respecto a esto, he pasado de creer que la subrogación era horrible, incluso una forma de utilización del cuerpo de una mujer en situación de desamparo, a ayudar a hacerlo a quien me lo pide.

Esta evolución se ha producido tras conocer de cerca situaciones muy tristes, como la de una chica cuyo hijo murió en el parto y además por hemorragia tuvieron que quitarle el útero, y también por ver la actitud de entrega y amor de mujeres que se quedan embarazadas sabiendo que solo van a cuidar a ese niño los meses anteriores al parto. Creo que muchas de las críticas son las aplicables a la donación de ovocitos.

¿Dónde está permitido?

A nivel legal, en la mayoría de los países la filiación del hijo viene dada por el parto, por lo tanto, el hijo es de quien lo ha parido y la ley prohíbe el útero de alquiler.

En algunos países como Inglaterra, Irlanda, Portugal y Sudáfrica está permitido solo en casos de enfermedad de la mujer que incapacite para llevar un embarazo y siempre que no haya acuerdo económico y que sean mujeres del mismo país. En algunos se pide además que haya vinculo familiar entre ellas.

La subrogación uterina con acuerdo económico está permitida en algunos estados de EE.UU, Canadá, Rusia, Ucrania y algún otro, pero la mayoría de los tratamientos actualmente se llevan a cabo en estos cuatro países.

Hasta hace poco se hacían muchísimos casos en India, Tailandia y Méjico, pero cambiaron la ley y se interrumpieron.

Este escenario legal es el actual en 2016, pero cada año cambia.

¿Quién puede necesitar un útero de alquiler?

Continuamente atendemos a personas que nos piden información sobre cómo y dónde hacerlo. Por una parte lo solicitan parejas o mujeres solas con incapacidad médica para sobrellevar un embarazo por haberles extirpado el útero, por haber nacido con malformaciones uterinas, por tener que tomar medicaciones incompatibles con el embarazo o por enfermedades que lo contraindiquen. También mujeres que han hecho muchos tratamientos de FIV sin conseguir éxito.

Por otra parte, lo piden varones gays, solteros o en pareja y también varones solos heterosexuales. Cada vez el hombre reclama más su derecho a la paternidad en solitario, todos conocéis casos de famosos que lo han hecho.

¿Por qué razón una mujer se presta a la subrogación?

¿Qué mujeres son capaces de pasar por un tratamiento de reproducción, un embarazo y el parto para entregar después el recién nacido a otras personas? En un congreso internacional se presentó un estudio que afirmaba que las madres de alquiler no presentan secuelas psíquicas y que las razones por las que lo hacen son en un 91% de los casos por ayudar, aunque en realidad es para ayudar a sus hijos; en un 8% por el placer de estar embarazadas – nuestra experiencia como ginecólogos nos dice que estar embarazada no es un placer, es más, en la mayoría de los casos es todo lo contrario, el placer es tener un hijo; y solo en un 1%, por dinero exclusivamente.

Por lo que he visto estos años, la mayoría de las madres subrogadas lo hacen para obtener recursos para mantener a sus hijos. Se sienten orgullosas de hacerlo y lo viven como «yo te ayudo a criar a tu hijo y tú me ayudas a criar a los míos».

Un niño así concebido puede tener tres madres, la madre biológica (la que aportó los óvulos), la madre gestacional (la que llevó el embarazo) y la madre legal, que lo va a cuidar para siempre. También puede ser que se trate de un padre legal.

La mujer que lleva el embarazo es la madre gestacional, pero habitualmente no es la madre biológica. Los óvulos son de la madre legal o de una donante de ovocitos. Además, siempre tienen hijos propios, entre otras cosas para evitar el riesgo de que se queden estériles por una complicación del parto.

¿Qué relación se crea entre la mujer y los padres del niño?

La relación entre los padres legales y la mujer que hace la subrogación uterina es muy diferente según los países y culturas.

En EE.UU y Canadá pueden conocerse y tener la relación que hayan decidido establecer. Es frecuente la comunicación continua por internet, incluso visitas y regalos ocasionales, pero también pueden permanecer en el anonimato. En estos países, las normas las pone la mujer que va a hacer la subrogación, incluso ella puede seleccionar a los padres legales.

Tras el parto se hace un juicio rápido en el que están presentes los tres y se firma la finalización del contrato que habían hecho como «madre adoptiva temporal», es decir, como alguien que cuida del niño durante un periodo en el cual el/los padres legales son incapaces de hacerlo: el embarazo. Conozco pacientes que, al salir de este juicio, una semana después del parto, han ido todos juntos a una barbacoa a casa de la madre gestacional.

El apoyo emocional es necesario en estos casos, y en estos países lo prestan las agencias de subrogación y los padres legales.

En Ucrania y Rusia el propio centro se encarga de todo, habitualmente no hay ningún tipo de comunicación con los padres legales. Tras el parto hay trámites en el juzgado y con la policía. En muchos casos salen del país con el niño figurando como hijo de la madre subrogada y el varón, y después ya en Europa lo adopta la esposa.

Aspectos económicos

Un proceso de subrogación se abona por fases: hay honorarios para cada parte del proceso que se van pagando según la evolución del mismo, con un baremo de extras como amniocentesis, embarazo gemelar, etc.

La cantidad que recibe la madre subrogada es mucho menos de lo que crees. La mayor parte del dinero está destinado a abogados, agencias, gastos médicos del tratamiento de reproducción y del embarazo, parto e incubadora si hace falta, seguros y viajes. Como orientación, un proceso de subrogación, si sale todo bien al primer intento, puede costar unos 60.000 euros en Ucrania, el doble en USA y precios intermedios en los otros países.

Evidentemente hay muchas personas que a pesar de desearlo de todo corazón no pueden permitírselo a nivel económico.

¿Qué hay que tener en cuenta?

Es necesario tener un abogado especializado en este tema en el país de residencia de los padres y muy aconsejable un especialista en reproducción que haya llevado muchos casos y esté al día de los aspectos médicos de las clínicas. Sé de muchos pacientes que lo han organizado a nivel privado a través de internet y han sido víctimas de un timo, como explica Paco Rego en su artículo publicado en el diario *El Mundo*: «El timo del bombo».

Después de acompañar a pacientes en esta aventura he podido ver y compartir experiencias de todo tipo: negativas por fracasos repetidos o por llegar, por ejemplo, a la India, para iniciar proceso y ver la actitud de rechazo del personal del centro porque el marido va en silla de ruedas (en su cultura aún está bastante extendido concebir la enfermedad como castigo divino), y otras vivencias fantásticas por tener a ese niño finalmente en brazos.

Preguntas para el debate

Sin duda los avances científicos y médicos como la subrogación uterina generan un debate social, cultural y legal. Está claro que no todo lo técnicamente posible es moralmente aceptable.

¿Qué te parece a ti a nivel ético la subrogación uterina?

¿Crees que las molestias y riegos del embarazo pueden pagarse con dinero? O por el contrario, ¿hay que verlo como un intercambio de ayudas? ¿Cómo harías tú la ley de tu país? ¿Permitirías los vientres de alquiler en todos los casos, en solo algunos o nunca? ¿Harías tú de madre de alquiler por tu hermana?

Un día tuve una pequeña discusión con Carmen Garijo, una gran mujer que es la subdirectora de la revista *Glamour*. Me decía que las modelos y artistas famosas querían evitar las secuelas físicas de un embarazo y solían optar por la subrogación. También que la gente sentía miedo de que en los centros de reproducción realicemos «niños a la carta» eligiendo los padres en función de determinadas características y no de otras. Pues todo eso es un mito. La realidad es que todas las mujeres que desean tener un bebé quieren sentirlo dentro de ellas y nos piden lo mismo que las demás: que las ayudemos a tener un hijo sano lo antes posible. Que su imagen pueda parecer frívola no quiere decir que lo sean, por lo menos para esto.

En cuanto a que hagamos niños de diseño, la verdad es que no sé a qué se refieren. Los que hemos dedicado nuestra vida a ayudar a los demás a cumplir su sueño de ser padres no hacemos cosas raras en el laboratorio y tampoco nos las piden.

17

Música e inicio de la vida

¿Para qué sirve la música?

Un capítulo dedicado a la música en un libro para mujeres que quieren quedarse embarazadas puede parecer insólito, pero os demostraré que tiene todo el sentido del mundo: la música tiene mucho que ver con el origen de la vida, así lo puedo afirmar porque tenemos abierta una línea de investigación muy importante sobre los efectos de la música en las personas desde que somos una célula, un ovocito, hasta el momento de nacer.

Para entender el significado de algunos de los descubrimientos que hemos hecho en este campo me he visto obligada a leer las teorías sobre el origen de la vida. Quiero compartir con vosotros el resumen de las conclusiones a las que he llegado. Tened en cuenta que son solo mis propuestas personales tras haberme preguntado para qué sirve la música. ¿Por qué siempre ha estado presente a lo largo de la historia?

Música para comunicarnos

La música es la forma de comunicación más ancestral entre los humanos, la comunicación mediante sonidos, gestos y bailes precedió al lenguaje hablado. El primer lenguaje fue musical más que verbal, y lo sigue siendo; instintivamente seguimos hablándoles a los bebés con tono alto y melodía porque sabemos que es como mejor nos entienden, así se dan cuenta de que queremos comunicarnos con ellos.

La selección natural hizo que sobrevivieran los humanos que más desarrollaron la capacidad de comunicación, ya que es necesaria para la vida en grupos cada vez más grandes y, por tanto, más seguros: buscar comida, defenderse de animales, alimentar crías, etc.

Así, la biología potenció las habilidades del ser humano para el canto; la capacidad musical fue una adaptación, se impuso como método para mejorar la supervivencia.

La música es el mayor estímulo que tenemos los humanos para la comunicación, más que el lenguaje. La razón es que induce emociones, nos permite comunicar un mensaje con carga afectiva.

Música para emocionarnos

Además, la música es un lenguaje universal de emociones, el oído es sensible a tonos y melodías que provocan estados de ánimo determinados e iguales en todos. La percepción humana de determinadas pautas sonoras musicales provoca los mismos sentimientos de alegría, tristeza o miedo en todos. Un asiático siente alegría ante tonos ascendentes de música de guitarra española y tristeza ante cadencias descendentes.

Esta capacidad de inducir un estado de ánimo común a todos promueve las relaciones, la cohesión y los vínculos sociales.

¿Por qué ponemos el himno de un equipo antes del partido? Siempre que los humanos nos reunimos por alguna razón, la música está presente: en las bodas, en los funerales, en la graduación en la universidad, en los desfiles militares, en los acontecimientos deportivos, en las oraciones, las cenas románticas, o cuando una madre acuna a su hijo...

Actualmente, en las sociedades avanzadas escuchamos música y apreciamos el baile pero apenas cantamos ni bailamos. Creo que hemos sustituido la música como medio de comunicación por la escritura, el teléfono, los e-mails, etc. y ahora la utilizamos como elemento inductor de placer y también la consideramos como cultura y como arte.

Música para aprender

Hay teorías que dicen que la música también se desarrolló evolutivamente porque estimula el aprendizaje. Estimula los sistemas de atención y de memoria; todos sabemos que es más fácil aprender las tablas de multiplicar con música y cómo recordamos también la letra de una canción aunque pasemos años sin escucharla.

Al parecer, sin la capacidad de escuchar musicalmente no podríamos aprender un idioma.

Música para emparejarnos

Al evolucionar la comunicación verbal en la especie humana, el cortejo sexual pasó de la pelea a la persuasión no violenta mediante cantos o ventajas en su apariencia física.

La función de la música en la selección sexual también existe en otras especies como las aves; los machos son capaces de componer nuevas melodías y cuanto más largo y elaborado es el repertorio mas rápidamente ovula la hembra.

La música permite exhibir las aptitudes sexuales. Los bailes tribales se basan en una buena musculatura y energía (salud física), en el ritmo (salud mental) y en el canto (creatividad). Antropológicamente estos eran los atributos masculinos que atraían a las mujeres porque eran los indicadores de protección y alimento para sus hijos. Miller, de la Universidad de California, afirma que la mujer conserva estos gustos sexuales en los genes y ha hecho estudios en los que demuestra que las mujeres durante la ovulación tienen las mismas preferencias que las prehistóricas.

Hay estudios que afirman que los hombres que más éxito tienen en cuanto a la cantidad de apareamientos son los cantantes de rock, aunque sean feos, pero que las mujeres quieren tener relaciones sexuales con ellos pero no casarse. Como se ha separado sexo de maternidad, las mujeres los quieren para sexo, pero no para ser los padres. Actualmente tenemos otros condicionamientos sociales y culturales, y según autores como Miller, la elección del padre se asocia más a la capacidad económica del varón.

La música como método de cortejo es especialmente evidente en la adolescencia, cuando nuestro cuerpo se prepara para la reproducción son mas marcados estos instintos.

Música para el placer

Sin duda la música también es un estímulo de placer. El «núcleo accumbens» está formado por un grupo de neuronas del encéfalo. Su estímulo produce dopamina, una sustancia que nos hace sentir bienestar. Este núcleo es el centro del placer por el sexo, la comida, la cocaína, la heroína, la nicotina, las adicciones a los juegos y desde el año 2013 se sabe que también del placer por escuchar música (Valorie Salimpoor).

Antropológicamente, el placer sexual (que solo existe en los humanos y los delfines) puede explicarse como un incentivo para la reproducción. Me explico: si el hombre primitivo, que no disponía de mucha comida, no hubiera obtenido placer como recompensa de las relaciones sexuales, habría evitado el gasto energético que estas suponen, poniendo así en peligro la evolución de la especie.

Y lo mismo la mujer: si no hubiera sido por el placer del sexo, habría evitado tener hijos. Por eso digo que el placer sexual supone un incentivo para la reproducción. ¡Y además genera un deseo de repetición!

Yo supongo que para reforzar todas las acciones importantes para la supervivencia, nuestros cerebros desarrollaron evolutivamente mecanismos para fomentar y recompensar esas conductas.

Los humanos hemos aprendido a puentear las actividades originales y accedemos directamente a los sistemas de recompensa. Podemos comer por gusto alimentos sin ningún valor nutritivo, tener sexo sin procrear, escuchar música en solitario, etc., pero los centros de placer del sistema límbico no saben diferenciarlo.

Así, es posible que todas las teorías del origen de la música sean ciertas. Que evolutivamente se haya mantenido como inductora del cortejo sexual y como elemento de comunicación entre miembros de la tribu. Y que con el paso del tiempo ya no la necesitamos para esto, pero la sigamos utilizando para estimular los receptores de placer que nuestro cerebro tiene.

Si bien la música tiene un papel importante a la hora de comunicarnos, de elegir pareja y de aparearnos, también está muy presente en la creación de la vida.

La música mejora la fecundación in vitro

Desde el inicio de la reproducción asistida se ha intentado que las condiciones de los embriones en el laboratorio sean similares a las que hay en las trompas y en el útero, tanto a nivel físico como que el desarrollo de medios de cultivo contenga los mismos nutrientes.

Así, pensando que el laboratorio de FIV debería ser como un útero gigante me puse a reflexionar sobre el ambiente de los embriones y dije ¿qué se oye en el útero?

Así fue como, en colaboración con una consultora en ingeniería de sonido, ideamos un sistema capaz de emitir música en el interior de las incubadoras de embriones durante las 24 horas del día a 80 decibelios.

Hicimos un estudio que demuestra que las vibraciones musicales aumentan las posibilidades de que el espermatozoide fecunde al ovocito; es decir, que la música mejora la fecundación in vitro. Lo presentamos en el Congreso Europeo de Esterilidad, en julio del 2013 en Londres.

Analizamos 985 óvulos fecundados in vitro procedentes de 114 pacientes. Los óvulos de cada paciente se dividieron aleatoriamente en dos grupos que se cultivaron en dos incubadoras diferentes: una dotada con el sistema de altavoces y otra convencional. Los resultados muestran que aquellos cultivados con música presentaron una tasa de fecundación estadísticamente superior, un 4,8% más.

Elegimos tres estilos musicales diferentes -pop, heavy y música clásica-, para medir posibles variaciones según el tipo de frecuencia, pero no detectamos diferencias significativas entre uno u otro. Está claro que los embriones no tienen sentido del oído, no son capaces de oír nada, ¿a qué puede deberse entonces que la música mejore la tasa de fecundación?

En condiciones naturales, los ovocitos y embriones viajan por las trompas de Falopio hacia el útero en condiciones de continuos movimientos que sirven para trasladarlos, pero también para rodearlos de los nutrientes que necesitan y para alejarlos de los productos de desecho que se generan durante las divisiones celulares.

Estos movimientos celulares facilitan el intercambio de sustancias, pero en el laboratorio permanecen estáticos en los medios de cultivo y como consecuencia, los productos tóxicos que liberan –radicales libres o amonio– se almacenan en el propio medio de cultivo.

Nuestra hipótesis es que las microvibraciones remueven los medios de cultivo en los que nada el ovocito, producen un reparto más homogéneo de los nutrientes que necesita y dispersan los productos tóxicos evitando que se acumulen.

El efecto de las vibraciones musicales sobre el crecimiento celular in vivo e in vitro se ha estudiado en varios campos, pero es la primera vez que se investiga el efecto de la música sobre los ovocitos fecundados in vitro.

Desde el inicio de la FIV son continuos los avances que permiten mejorar el éxito de los tratamientos y quizá os parezca poco, pero un aumento de la tasa de fecundación de casi un 5% es un gran logro, especialmente para un centro de referencia como el nuestro.

FIV al compás de la música. Concierto para embriones

Desde que descubrimos que las vibraciones musicales mejoran la tasa de fecundación las hemos incorporado por sistema a todas nuestras incubadoras. Las canciones se seleccionan en base a los gustos de los biólogos porque ellos las oyen constantemente al abrir las incubadoras y están a un volumen muy alto.

Cada poco se cambia el tipo de música aunque hayamos visto que no hay diferencias. Estos días está muy animado, toca heavy metal.

Pocos meses antes de escribir este libro, Antonio Orozco dio un concierto privado para 380 afortunados. Los afortunados han sido los embriones que se estaban desarrollando en ese momento en el laboratorio de fecundación in vitro.

Los embriones no tienen oído pero los fetos sí. Embrión es hasta la semana 12 de gestación, después ya se llama feto. Así que lo empezamos a estudiar y descubrimos la audición fetal.

¿Qué oyen los fetos dentro del útero materno?

Lo primero que hicimos fue poner altavoces en el abdomen de las embarazadas a intensidad muy elevada (la equivalente al despegar de un avión) y, al hacer la ecografía, vimos que no se producía ninguna reacción en el feto. De hecho, en las ecografías los ginecólogos tampoco habíamos observado nunca cambios en el feto por ruidos externos o porque la madre hablara.

Así que pensamos que quizás no la oían, que igual que los fetos pueden ver pero no ven porque no les llega la luz, seguramente pueden oír pero no oyen porque apenas les llega el sonido. De esta forma apareció nuestro objetivo: había que acercarles la fuente de sonido... **había que ponerle hilo musical al útero**. Y se me ocurrió que debíamos intentarlo poniendo un altavoz en la vagina de las embarazadas.

Repetimos el experimento con más pacientes y esto es lo que descubrimos: que los fetos cuando oyen música reaccionan con movimientos de la boca y de la lengua... **intentan vocalizar**.

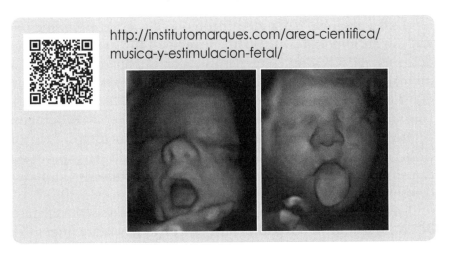

http://institutomarques.com/area-cientifica/
musica-y-estimulacion-fetal/

Pero la única forma de que les lleguen los sonidos como los oímos nosotros es emitiéndolos vía vaginal.

Diseñamos el estudio científico. Reclutamos a pacientes de nuestro centro embarazadas de entre 14 a 39 semanas. En cada caso estudiamos esta respuesta antes, durante y después de la estimulación musical fetal en 3 períodos consecutivos de 5 minutos de duración. Determinamos 3 grupos distintos de pacientes:

- Con música vía abdominal emitida a 98 decibelios de intensidad (nivel equivalente al ruido que genera el paso de un tren).
- Con un vibrador sexual, porque teníamos que saber si la respuesta de los fetos se debía a las vibraciones sonoras o a la música. El vibrador vaginal emitía un ruido de 68 decibelios de intensidad, equivalente a una conversación en tono alto. ¡No os asustéis! Las embarazadas pueden usarlos.
- Con música vía vaginal a 54 decibelios (el nivel de una conversación en tono normal).

En un período de 3 meses evaluamos a 106 pacientes, sin ningún tipo de incidencia a nivel médico y sin apreciar ningún efecto adverso por el uso del dispositivo vaginal. Es más, nos sorprendió gratamente ver la emoción de los padres durante las sesiones de ecografía al ver las imágenes espectaculares de movimientos de cara, boca y lengua de sus bebés.

En menos de un año habíamos incluido a más de 1.000 pacientes en estudios paralelos sobre la audición fetal vía vaginal.

¡Esto a pesar de lo grande e incómodo que era el prototipo inicial! No les importaba. ¡Estaban encantadas! Incluso una paciente del grupo del vibrador: en un despiste, con el mando a distancia en mi mano, sin querer lo fui subiendo hasta el máximo... Al salir le dijo a una enfermera: «¡Qué estudios tan raros hacen!»

Durante toda nuestra vida profesional, al hacer las ecografías, el feto es un sujeto pasivo, al que observamos y medimos. Pero en estas ecos es realmente apasionante el hecho de ser capaces de despertarle, de generar una respuesta y, en definitiva, de poder comunicarnos con el bebé.

En muchas de estas ecografías los ginecólogos nos contagiamos de las emociones de los padres ante esta experiencia tan intensa.

Resultados

En las ecografías previas al inicio de los estímulos vimos que el 45% de los fetos movían la cabeza y las extremidades y un 30% hacían movimientos de la boca y de la lengua. Esto es lo que habitualmente hacen cuando están despiertos.

Al aplicar el **estímulo musical por vía vaginal con Babypod,** casi el 90% de los fetos se despertaron, reaccionaron con movimientos inespecíficos de la cabeza y de las extremidades y con movimientos específicos de la boca y de la lengua que disminuyeron de forma significativa al dejar de oír la música.

Cerca del 80% de los fetos reaccionaron con un movimiento muy llamativo, abriendo muchísimo la mandíbula y sacando la lengua al máximo.

Durante el **estímulo con música vía abdominal con los auriculares** no se produjo ningún incremento de los movimientos específicos de la boca ni de sacar la lengua. Lo mismo sucedió en el grupo de **estimulación con vibrador por vía vaginal.**

Ante estos resultados nos quedó claro que, si no responden a la música a través del abdomen, es porque no la oyen. Y que si emitimos la música desde la vagina responden porque sí que la oyen.

Los fetos no reaccionan al vibrador vaginal, esto significa que responden a la música y no a las vibraciones sonoras. Esto es muy importante para diagnosticar la sordera. Las personas con sordera perciben las vibraciones, pero no la música.

¡Vimos que la respuesta se produce desde la semana 16 de gestación! ¿Os podéis imaginar el espectáculo que supone ver un pequeñín de 11 centímetros y 100 gramos reaccionar al oír la música? Es increíble. Con esto descubrimos que el feto oye y responde desde mucho antes de lo que se creía.

Los fetos presentan una respuesta distinta en cada exploración y es muy variable el tiempo que tardan en reaccionar. También es distinto el tipo de movimiento, el número y la intensidad de los mismos, así como el tiempo en que dejan de hacerlos tras cesar el estímulo. Pero conforme avanza la gestación, hay mayor respuesta de movimientos faciales. No vimos diferencias entre los niños y las niñas.

Desde el principio yo estaba muy interesada en saber qué pasaba con los gemelos y ¡es increíble porque responden igual! Llegado este momento habíamos descubierto cosas importantísimas. Pero entonces ¿qué se oye en realidad en el útero?

¿Por qué no les llegan los sonidos desde el abdomen y sí desde la vagina?

El feto recibe sonidos del interior del cuerpo de su madre: de los latidos del corazón, de la respiración y de los movimientos intestinales. También oye los sonidos procedentes de lo que hace su madre, cuando habla o cuando camina con sus tacones, además de oír ruidos del exterior.

Pero el feto vive en un ambiente insonorizado. Los órganos maternos y la pared abdominal lo aíslan de los sonidos.

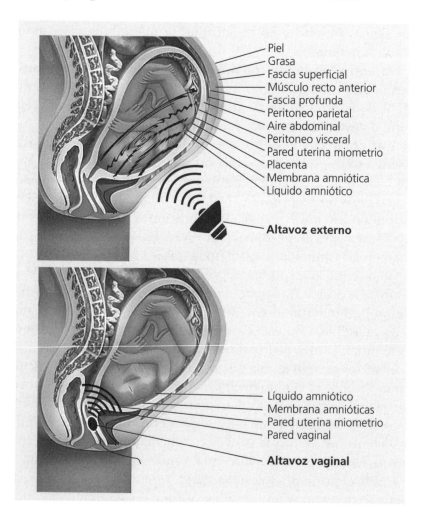

Piel
Grasa
Fascia superficial
Músculo recto anterior
Fascia profunda
Peritoneo parietal
Aire abdominal
Peritoneo visceral
Pared uterina miometrio
Placenta
Membrana amniótica
Líquido amniótico

Altavoz externo

Líquido amniótico
Membrana amnióticas
Pared uterina miometrio
Pared vaginal

Altavoz vaginal

Desde el abdomen, una parte del sonido se refleja al exterior y otra parte queda absorbida y distorsionada por las diferentes capas de tejidos blandos que componen la pared abdominal. Al feto solo le llega la parte transmitida y es de menor intensidad y claridad que en el punto de emisión.

Estudios en ovejas con micrófonos intrauterinos calculan que la mayoría de los sonidos les llegan como susurros, a unos 30 decibelios. Además, las palabras emitidas desde el exterior y grabadas dentro del útero solo son inteligibles aproximadamente en un 50%, les llegan distorsionadas, con modificaciones en el timbre y el tono.

Es como si el feto estuviera rodeado de almohadas. Cuando nosotros escuchamos hablar en la habitación de al lado, aunque podamos oír, entendemos peor.

Así, podemos decir que el ambiente sonoro del útero es como el ruido de fondo de un bosque. Además, la mayoría de los sonidos son muy repetitivos, se acostumbra y no reacciona a ellos. No le impiden dormir.

Para que escuchen lo mismo que nosotros, la única vía es la vaginal.

La vagina es un espacio cerrado, y por tanto no hay dispersión del sonido. Además, las capas de tejido blando que separan al feto del emisor de sonido son menores: solo pared vaginal y uterina. Eliminamos la barrera que supone la pared abdominal.

Colocando un altavoz en vagina, el feto puede oír casi con la misma intensidad con que se emite. Así, gracias al dispositivo vaginal ideado y desarrollado para este estudio **hemos descubierto la fórmula para que los fetos oigan como nosotros.** Para que le llegue el sonido de forma eficaz, en intensidad y sin distorsiones.

Os podéis imaginar la cantidad de mujeres que me dicen «tanto tiempo hablándole y poniéndole música sin saber que no lo oía...». Y la cantidad de trabajos publicados sobre si el recién nacido reconoce la voz de la madre. No la pueden reconocer porque no la han oído como la oyen desde que nacen.

¿Qué aplicaciones de tipo práctico puede tener este descubrimiento?

En primer lugar, nos permite comunicarnos con el feto y **estimularlo neurológicamente**. Ya sabemos que la estimulación sensorial precoz es buena para los niños.

También nos ayuda a descartar la sordera fetal: si el feto responde a la música quiere decir que no es sordo

Además, utilizando este dispositivo en las ecografías, hacemos que sean **más fáciles y más rápidas**. Al inducir movimientos fetales, el ecografista puede ver mejor las estructuras del feto.

Y más aplicaciones: Podemos reducir la ansiedad de las mujeres embarazadas que no notan los movimientos fetales, porque emitiendo música provocamos que el feto responda y la madre lo note.

Además, es una experiencia única para los padres y su futuro hijo: para que juntos puedan compartir el placer de la música.

Y por último, científicamente este avance abre una apasionante línea de investigación pre y posnatal totalmente pionera.

Nuestra hipótesis sugiere que la música induce una respuesta de movimientos de vocalización ya que activa circuitos cerebrales de estimulación del lenguaje y de la comunicación. Es decir, el aprendizaje empieza en el útero materno.

Para realizar el estudio, se diseñó un dispositivo vaginal especial que posteriormente una empresa ha comercializado con el nombre de Babypod® y ya lo utilizan mujeres de todo el mundo.

18

La prueba de embarazo

Rocío no me hizo ni caso. El día del transfer se instaló en un sofá y sólo se levantó por requerimientos de su vejiga. Jaime se fue a comprarle flores. Lourdes vino a hacerle compañía y no paraba de enseñarle el móvil con tiendas on line de ropa de bebé. Sus padres llamaron mil veces.

Decidió que su trabajo de monitora de aerobic era incompatible con la situación y pidió una baja médica.

Los días siguientes se quedó en situación parecida de aislamiento. Al principio lo llevó bastante bien pero luego empezó la ansiedad, se dio cuenta de que su entorno estaba dando por hecho que ya estaba embarazada y sin embargo ella no notaba nada.

Llamó al teléfono de urgencias de la clínica preocupada por eso, porque no notaba nada y el médico le dijo que era normal y que estuviera tranquila porque había altas probabilidades de éxito. Esto la hundió, altas posibilidades quería decir que era posible que no se quedara embarazada y su miedo al fracaso era horrible, especialmente por los demás.

La ansiedad se alternaba con tristeza porque estaba convencida de que con las flores vendría un anillo de compromiso y no fue así.

Los días previos a la prueba de embarazo se hicieron eternos, fue al baño a mirar el salvaslip una diez veces cada hora... pero finalmente llegó el momento.

Pasados 14 días tras la recuperación de ovocitos llegan a la consulta con la primera orina de la mañana en un bote.

Entran en el despacho y cuando digo «¡enhorabuena! el resultado del test es positivo», Rocío se echa a llorar y Jaime se pone a hacer un baile ritual como cuando mete gol. Es una escena tan emotiva y bonita que salgo de la consulta y los dejo solos.

Marta no se quedó embarazada en la primera inseminación ni en la segunda. En el último control de ovulación para el tercer ciclo vino acompañada de Eduardo. Cuando me dispongo a darle las instrucciones los veo muy serios y les pregunto qué pasa.

Ella me dice que no puede soportar el comportamiento de Eduardo, que le ha dicho que no quiere seguirlo viendo porque le hace daño y ahora se ha presentado aquí, para acompañarla... como si no pasara nada.

Él dice que ha venido a buscarla porque quiere hablar con ella al salir de la visita.

Ya en la calle le dice que la quiere, que no tiene derecho a pedirle que no tenga hijos, que ha sido un egoísta, que lo perdone, que está deseando tener el síndrome del nido lleno y que si se lo permite, la inseminación va a ser natural.

Los dos hijos anteriores de Eduardo vinieron al poco de buscarlos, debe tener un buen semen porque Marta se queda embarazada al día siguiente de esta conversación.

Isabel ha hecho un ciclo de donación de ovocitos y ha ido muy bien. Se obtuvieron 8 ovocitos, 6 de ellos maduros y se fecundaron 5. Tres días después había 3 embriones divididos y dos días mas tarde uno evolucionó a blastocisto.

Estuvieron pegados a las imágenes de sus embriones en la incubadora, miraban el video del Embryoscope cada pocas horas y se llamaban al trabajo para comentarlas. Como evolucionaron menos de los previstos estaban muy desanimados y los días de espera hasta la prueba de embarazo fueron horribles, en este caso para ambos.

¡La prueba de embarazo fue positiva! Apenas pudimos hablar porque se quedaron sin palabras, solo querían abrazarse y llorar. Pero Isabel me mandó este email al día siguiente:

«Creímos que esto no era para nosotros. Que nosotros estábamos destinados a ser felices, pero «de otra manera».

Mi marido y yo acudimos a la consulta para hacernos una prueba de embarazo como quien va a una visita rutinaria con el médico por un catarro.

Sin nervios, sin esperar ninguna noticia que nos fuera a sorprender.

En los breves minutos de espera desde que llegamos y nos sentamos en el sofá del fondo del vestíbulo, visualicé lo que pasaría minutos después. Pasaríamos a una consulta y un miembro del equipo médico de nuestra doctora nos diría con todo el tacto del mundo, pero sin tapujos, que sintiéndolo mucho esa vez tampoco había funcionado.

El corazón no me dio un vuelco al tener ese pensamiento. Sentía que eso era lo que iba a pasar y lo esperaba con resignación y serenidad. El largo tiempo y los fracasos repetidos ya habían hecho mella en mí sin ser consciente de ello.

De golpe, vemos aparecer a nuestra doctora en el vestíbulo acercándose con la mejor de sus sonrisas y abriendo los brazos para abrazarnos. En ese momento, suelta un «estás embarazada, felicidades». Y yo, incrédula, la abrazo, como quien no ha entendido lo que me acaba de decir. Como cuando escuchas algo en bajito que te quedas inmóvil y necesitas que te lo repitan para cerciorarte de que escuchaste bien.

Creo que le dije: «pero ¿cómo? Eso no puede ser». Y ella, sin dejar de sonreír, dijo: «Sí, estás embarazada. La prueba ha dado positiva en seguida. Pasemos a la consulta». De golpe, mientras ella abraza a mi marido, mi voz en off, me dice: «No puede ser, pero si tú no has venido a que te digan que lo estás. Tú has venido para que te dijeran otra vez que lo volviéramos a intentar».

Ya estamos de camino al despacho y nos encontramos con casi todo el mundo: con la enfermera que nos acompañó el día de la transferencia, con Anabel, la enfermera de la doctora con la que ya tenemos cierta confianza y aprecio por el tiempo pasado, con las chicas de administración que siempre se interesan por cómo han ido las cosas. Es inevitable que les llegue que: ¡estamos embarazados!

Entramos en la consulta sin salir de nuestro asombro. Ni sé dónde dejo la chaqueta y me siento en una de las sillas, junto a mi marido.

La doctora nos cuenta con más detalle la alegría con la que han empezado el día ella y su equipo, al ver el positivo en mi prueba de orina.

«¡Ya era hora!», me dice, «ya os tocaba».

Mi marido y yo nos miramos y le digo otra vez: «pero, ¿seguro que lo estoy? ¿No va a ser la medicación que me tomo que ha dado un falso positivo? En seguida que termino la frase, me siento ridícula.

La doctora, sin perder un ápice de su sonrisa, me dice: «Estás embarazada. Los valores han salido muy altos. No hay duda.»

«No me lo puedo creer», le digo yo. «Pero si llevo días sintiendo dolores menstruales», le vuelvo a decir. A lo que ella contesta: «Eso son espasmos del útero ensanchándose para que pueda crecer el embrión».

Increíble, no nos lo podíamos creer todavía. A mi marido llevaba días diciéndole que yo sentía lo de cada mes. El cuerpo preparándose para una bajada de la menstruación. Mi marido tampoco sale de su asombro pero me confiesa en ese momento que nunca había perdido del todo la esperanza.

La doctora nos pide hacer una analítica de sangre, más que para confirmar el embarazo, para saber cómo tengo los valores de todo. Y volvemos a casa a esperar los resultados.

La primera canción que se escucha en la radio del coche es: «Happy» de Pharrell Williams. Es como si el destino nos hablara de pronto y nos dijera: «despertad de la pesadilla, chicos. Ha llegado vuestra hora. Se os ha concedido lo que deseabais desde hacía tanto tiempo y pensabais que nunca podríais tener».

La vida no había sido fácil desde que empezamos a plantearnos la posibilidad de ser padres. Muchas emociones y dinero perdido que nos habían dejado en el límite de lo emocional y lo económico, y sin ninguna salida a corto o medio plazo. En pocas palabras, la vida ya no nos daba para más en ningún sentido.

Y como si de pronto hubieran venido los Reyes Magos, nos hubiera tocado la primitiva, los ciegos, la quiniela, todo junto.

Mi marido y yo estamos viviendo un sueño. Es muy pronto para saber cómo se desarrollará todo, pues aún hay que pasar la mayoría del embarazo. Pero sin duda creo que nos han devuelto ese sentimiento que nos mueve a todos día a día, que es luchar por lo que amamos, por lo que queremos, y que nosotros, más yo que mi marido, ya habíamos perdido sin posibilidad de recuperar: la ESPERANZA».

He incluido este email porque es una historia de amor.